Berlitz®

Français

Berlitz Languages, Inc.
Princeton, NJ
USA

For use exclusively in connection with Berlitz classroom instruction.

Berlitz Languages, Inc.
400 Alexander Park
Princeton, NJ 08540
USA

TABLE DES MATIÈRES

Chapitre 4

Chapitre 5

Chapitre 6

Chapitre 7

Chapitre 11

Chapitre 12

Ce livre est destiné aux élèves de niveaux 3 et 4 qui suivent des cours dans nos écoles Berlitz.

L'objectif de ce programme est de permettre à l'élève d'acquérir des connaissances linguistiques orales dans le plus court délai possible.

Le programme se compose d'un livre de l'élève et d'un audioprogramme ainsi que d'un manuel d'enseignement et d'un livre d'illustrations pour le professeur.

Le programme se divise en douze chapitres. Chaque chapitre comporte des dialogues et des textes suivis d'exercices variés. Ils ont pour but de vérifier la compréhension de l'élève, de lui permettre de travailler des structures grammaticales, ainsi que d'enrichir son vocabulaire. De temps en temps, le professeur donnera à l'élève des devoirs qu'il fera à la maison.

Nous sommes très heureux de vous présenter notre nouveau programme d'enseignement et nous vous souhaitons de réussir pleinement dans vos études avec Berlitz.

CHAPITRE

1

LES BERTIN SE DÉPÊCHENT

Lundi matin chez les Bertin …

Mme Bertin : Oh là là, François ! Il est 7h10. Le réveil n'a pas sonné.

M. Bertin : Oh, ce n'est pas possible ! Je vais être en retard ! J'ai une réunion super[1] importante à 8h15 !

Ils se lèvent rapidement. François va se doucher et Martine va réveiller les enfants. Dans la chambre de ses filles …

Mme Bertin : Véronique, allez, debout ! Il est presque 7h15 !

Véronique : Oh, je suis fatiguée, Maman. Je n'ai pas envie d'aller à l'école aujourd'hui !

Mme Bertin : Allez, pas de discussions – votre père est pressé ce matin.

Murielle est déjà en train de s'habiller. Elle se regarde dans la glace.

Murielle : Maman, est-ce que ce pull va avec ma jupe ?

Mme Bertin : Oui, oui, très bien ! … Dépêchez-vous, les filles ! Votre père doit partir dans dix minutes.

---

[1] *super = très, très*

Mme Bertin va ensuite dans la chambre de Nicolas. Elle l'aide à s'habiller et à se coiffer. Ensuite, elle descend à la cuisine pour préparer le petit déjeuner.

Quelques minutes plus tard, tout le monde est assis dans la cuisine. Le café au lait et les tartines[2] sont sur la table.

    Mme Bertin :   Allez, les enfants. On part dans cinq minutes !

Ils avalent[3] leur petit déjeuner et prennent leur cartable.

    Mme Bertin :   Au revoir ! À ce soir !

[2] *tartine = pain avec du beurre et de la confiture*
[3] *avaler = ici, manger rapidement*

EXERCICE 1

1. Pourquoi les Bertin se sont-ils réveillés en retard ?

2. Pourquoi M. Bertin doit-il se dépêcher ?

3. Laquelle des filles s'est réveillée avant l'arrivée de Mme Bertin ?

4. Pourquoi Véronique ne veut-elle pas aller à l'école ?

5. Qu'est-ce que Murielle pense porter avec sa jupe ?

6. Lequel des enfants a une chambre pour lui tout seul ?

7. Où les Bertin prennent-ils leur petit déjeuner ?

8. Que prend la famille Bertin au petit déjeuner ?

Il **lave** sa voiture.   Il **se lave** le visage.

	aujourd'hui	*hier*
je	**me** couche	**me** suis couch**é(e)**
il / elle	**se** couche	**s'est** couch**é(e)**
nous	**nous** couchons	**nous** sommes couch**é(e)s**
vous	**vous** couchez	**vous** êtes couch**é(e)s**
ils / elles	**se** couchent	**se** sont couch**é(e)s**

(voir tableaux des conjugaisons, p. 151)

Vous **levez-vous** tôt le matin ?

En général, je ne **m'endors** pas avant 23h.

Les enfants **se sont endormis** après le dîner.

EXERCICE 2

Exemple: Tous les matins, nous **_nous réveillons_** quand le réveil sonne.
(se réveiller)

1. Albert ne _____ jamais dans la glace avant de sortir. *(se regarder)*

2. Hier soir, les Morel sont sortis et ils _____ plus tard que d'habitude. *(se coucher)*

3. En général, nos enfants _____ les mains avant le repas. *(se laver)*

4. Hier soir, nous _____ très tôt. *(s'endormir)*

5. Hier matin, Hélène _____ puis elle _____. *(se doucher / se coiffer)*

6. Tous les matins, Paul _____ les dents après le petit déjeuner. *(se brosser)*

7. Marcel, pourquoi est-ce que vous _____ avant la fin du film ? Il ne reste que dix minutes ! *(s'en aller)*

8. Ce soir, je ne _____ pas dans la salle de bains. *(se déshabiller)*

9. Nicolas ne _____ pas le week-end. *(se raser)*

10. _____, les filles ! Vous allez être en retard ! *(se dépêcher)*

11. Est-ce que vos enfants _____ tout seuls maintenant ? *(s'habiller)*

12. Je _____ très tard dimanche dernier. *(se lever)*

M. Deschamps ne se sent pas bien. Il téléphone à son médecin.

Réceptionniste : Cabinet du Dr Pasquier, bonjour.

M. Deschamps : Bonjour, ici Michel Deschamps. Je ne me sens pas bien. Est-ce qu'il est possible d'avoir un rendez-vous avec le Dr Pasquier aujourd'hui ?

Réceptionniste : Ah, bonjour, M. Deschamps. Voyons … pas ce matin. Mais, le docteur peut vous recevoir à 15h. Est-ce que ça vous convient ?

M. Deschamps : À 15h ? Oui, je suis libre. Merci beaucoup, madame.

M. Deschamps est dans le cabinet du médecin.

Dr Pasquier : Alors, qu'est-ce qui ne va pas ?

M. Deschamps : J'ai mal à la gorge et j'ai de la fièvre. J'ai pris ma température ce matin et j'ai 39.

Dr Pasquier : Alors, voyons ça.

Le médecin examine M. Deschamps.

M. Deschamps : Alors, docteur, qu'est-ce que j'ai ?

Dr Pasquier : Rien de grave, ne vous inquiétez pas ! Vous avez la grippe.

M. Deschamps : La grippe ? Qu'est-ce que je dois faire ?

Dr Pasquier : Vous devez rester chez vous pendant quelques jours et prendre des médicaments. Je vais vous faire une ordonnance … voilà ! Prenez ces médicaments pendant huit jours, trois fois par jour, avant les repas.

M. Deschamps : D'accord, docteur. Quand est-ce que je pourrai reprendre le travail ? J'ai une réunion importante lundi.

Dr Pasquier : Ce n'est pas un problème. Si vous vous reposez bien, vous irez beaucoup mieux dans deux ou trois jours.

M. Deschamps : Très bien. Au revoir, docteur … et merci.

EXERCICE 3

1. Pourquoi M. Deschamps téléphone-t-il au médecin ?

2. Qui répond au téléphone ?

3. Quand le médecin pourra-t-il voir M. Deschamps ?

4. Où M. Deschamps a-t-il mal ?

5. Combien a-t-il de fièvre ?

6. Qu'est-ce qu'il a ?

7. Que conseille le médecin à M. Deschamps ?

8. Pourquoi M. Deschamps demande-t-il quand il pourra reprendre le travail ?

EXERCICE 4

Exemple : Le docteur Pasquier a une __*barbe*__ .

1. Le docteur Pasquier a 45 _____.

2. Il a les _____ verts et les cheveux _____ et noirs.

3. Le _____ du docteur Pasquier est rue de Varennes.

4. Ses _____ disent que c'est un bon _____.

5. Mme Pasquier travaille dans une _____.

6. Elle a les _____ longs et _____.

7. Elle porte des _____.

8. Mme Pasquier a 42 ans ; elle est plus _____ que son mari.

cabinet
blonds
yeux
barbe
jeune
pharmacie
patients
lunettes
médecin
courts
ans
cheveux

Quand on ne se sent pas bien

Comment vous sentez-vous ?
Qu'est-ce qui ne va pas ?
Avez-vous de la fièvre ?
Où avez-vous mal ?

Ça ne va pas bien.
Je me sens très fatigué(e).
J'ai mal à la tête / à la gorge.
Je suis enrhumé.
Je n'ai pas d'appétit.
Je dors très mal.

J'ai besoin d'un médecin.
Appelez un médecin, s'il vous plaît !
Où est l'hôpital ?

Je vais vous faire une ordonnance.
Prenez ces médicaments trois fois par jour
pendant cinq jours.

Reposez-vous bien !
Vous irez mieux dans quelques jours.
Remettez-vous vite !

Noms :

le cabinet	la barbe
dos	glace
patient	
repos	les oreilles
savon	yeux
thermomètre	
ventre	
visage	

Verbes :

conseiller	se remettre
se dépêcher	tomber (malade)
se regarder	vivre

Adjectifs :

enrhumé
beau / belle

Qu'est-ce que vous faites le matin quand le réveil sonne ?
– Je me lève, je me douche, je m'habille et je vais au bureau.

Et hier, qu'est-ce que vous avez fait ?
– Hier, mon réveil n'a pas marché.
  Je me suis réveillé tard.
  Je me suis lavé, rasé, et coiffé en 10 minutes.
  J'ai dû me préparer très vite.

Qu'est-ce que vous faites le soir, quand vous êtes fatigué ?
– Je me déshabille, je me brosse les dents, je me couche et je m'endors tout de suite.

Qu'est-ce qu'il faut faire pour être en bonne santé ?
– Il est important de bien manger et de bien dormir.

Que fait M. Deschamps quand il est malade ?
– Il prend sa température.
  Il va chez le médecin.
  Le médecin l'examine.
  Il lui donne une ordonnance.
  M. Deschamps achète des médicaments.
  Quand il se sent mieux, il reprend le travail.

Comment se sent-on quand on a la grippe ?
– On se sent mal.
  On a de la fièvre.
  On a mal à la tête et à la gorge.

Que dit le docteur ?
– Il dit: « Ne vous inquiétez pas ! Ce n'est pas grave. Reposez-vous ! »

Quel âge a votre grand-père ?
– Il a une soixantaine d'années. Il n'est plus très jeune, mais il n'est pas très âgé, non plus.

Est-ce qu'il a encore les cheveux roux ?
– Non, ils sont gris maintenant.

Expressions :
C'est impossible !
Qu'est-ce qui ne va pas ?
Il est nécessaire de …

CHAPITRE

2

lundi 12 février

Samedi matin, j'ai eu une bonne surprise : Valérie Lamy m'a téléphoné pour me dire qu'elle arrivait à Paris le lendemain. Dimanche soir, elle est venue dîner chez moi avec son mari, Marc.

Valérie et moi sommes amies depuis des années. Quand j'ai rencontré Valérie, nous venions de commencer toutes les deux au service marketing d'Air France. J'ai trouvé Valérie très sympathique et nous sommes devenues de bonnes amies. Nous sortions presque toutes les semaines et nous passions quelquefois nos vacances ensemble.

Au bout de[1] trois ans, Valérie a trouvé un autre emploi à Toulouse. Elle est donc partie, mais nous sommes restées en contact. Je suis allée plusieurs fois à Toulouse pour la voir. Un jour, Valérie m'a présenté son ami Marc Lamy. Un an plus tard, j'ai reçu une invitation à leur mariage.

Mar
Bru
de M
appa
Bru

Apr
phot
vaca
aimé
Nou

Mar

Valé
pena
vous

[1] au bout de = après

Marc et Valérie vivent maintenant à Bruxelles où sont les bureaux de la société de Marc. Ils ont trouvé un magnifique appartement et ils trouvent les Bruxellois[2] très sympathiques.

Après le dîner, je leur ai montré des photos d'elle et de moi quand nous étions en vacances en Espagne. Marc a beaucoup aimé la photo de Valérie avec un matador. Nous nous sommes bien amusés.

Mardi 13 février

Valérie et son mari vont rester à Paris pendant quelques jours. Nous avons rendez-vous mercredi soir au Quartier Latin.

[2] *Bruxellois = habitant de Bruxelles*

EXERCICE 5

1. Qui a appelé Sylvie Féraud ?

2. Pourquoi lui a-t-elle téléphoné ?

3. Quand Sylvie a-t-elle rencontré Valérie ?

4. Comment l'a-t-elle trouvée ?

5. Que faisaient Valérie et Sylvie ensemble ?

6. Où est allée Valérie au bout de trois ans ?

7. Qui Valérie a-t-elle présenté à Sylvie ?

8. Où habitent maintenant Valérie et son mari ?

9. Qu'est-ce que Sylvie, Valérie et Marc ont fait après le dîner ?

10. Quand vont-ils au Quartier Latin ?

> Je vais à la bibliothèque une fois par mois.
> → Il y a dix ans, j'y **allais** tous les jours.
>
> Ces lunettes appartenaient à Nana Mouskouri.
> Nous ne recevions jamais le courrier avant 15h.
> Est-ce que Marc connaissait l'adresse du consulat ?

	présent	imparfait
je	fais	fais**ais**
il / elle	aime	aim**ait**
nous	finissons	finiss**ions**
vous	dites	dis**iez**
ils / elles	vont	all**aient**

(voir tableaux des conjugaisons, p. 148)

EXERCICE 6

Exemple : Il y a cinq ans, j'___**habitais**___ en Belgique. *(habiter)*

1. Bruno _____ aller au cinéma avec ses amis ce soir, mais ils viennent d'annuler le rendez-vous. *(penser)*

2. Il y a quelques années, mon oncle ne _____ jamais malade. Mais maintenant, il est très souvent malade. *(tomber)*

3. Ah, Mme Rosier, je _____ vous voir ! *(vouloir)*

4. Qu'est-ce que Michel _____ dans la cuisine à 3h du matin ? *(faire)*

5. Au mois de février, quand les enfants _____ en vacances, nous _____ toujours ensemble à la montagne. *(être / aller)*

6. Quand nous _____ petits, nous _____ bien avec nos cousins. *(être / s'amuser)*

7. Il y a dix ans, il n'y _____ pas beaucoup d'habitants dans cette petite ville. *(avoir)*

8. Quand j'_____ 20 ans, je ne _____ jamais avant minuit. *(avoir / se coucher)*

EXERCICE 7

Jacques et Michel _____ (devenir) amis quand ils _____ (avoir) cinq ans. Ils

_____ (vivre) dans le même quartier et ils _____ (aller) à la même école. Tous les

matins, les deux garçons _____ (partir) ensemble et le soir, ils _____ (revenir)

aussi ensemble. Après leurs devoirs, ils _____ (jouer) souvent avec les autres

enfants de leur rue.

Un soir, Michel _____ (sortir) et _____ (attendre) Jacques pendant une

demi-heure. Mais Jacques n' _____ pas _____ (venir).

À 18h, Michel _____ (attendre) toujours son ami. Il ne _____ (vouloir) plus

attendre ; donc il _____ (décider) d'aller chez Jacques. La maison de Jacques

n' _____ (être) pas trop loin de la sienne. Michel _____ (sonner) à la porte et la

mère de Jacques lui _____ (ouvrir). Elle _____ (inviter) le garçon à entrer ; Michel

_____ (demander) où _____ (être) son ami. La mère de Jacques lui _____ (dire)

qu'il ne _____ (se sentir) pas bien et qu'il ne _____ (pouvoir) pas sortir. Michel

_____ (vouloir) savoir si c' _____ (être) grave. Elle lui _____ (répondre) : « Non,

non. Il sera à l'école demain. »

Valérie et Marc Lamy sont en vacances à Paris. Ils retournent à Bruxelles demain après-midi. Ils ont acheté des places de théâtre pour ce soir, mais Marc ne peut pas y aller parce qu'il est malade. Valérie appelle son amie Sylvie Féraud à son bureau.

Sylvie :	Sylvie Féraud !
Valérie :	Bonjour, Sylvie, c'est Valérie ! Comment vas-tu ?
Sylvie :	Salut, Valérie ! Bien, et toi ?
Valérie :	Ça va. Dis donc, qu'est-ce que tu fais ce soir ?
Sylvie :	Rien. Je ne sais pas … Je pensais peut-être regarder la télé.
Valérie :	Écoute, on devait aller au théâtre pour voir une pièce de Molière. Mais Marc ne se sent pas très bien et a décidé de se reposer. Alors, j'ai pensé à toi. Si tu veux, on peut y aller ensemble.
Sylvie :	Ah, c'est gentil ! Merci, avec plaisir. À quelle heure ça commence ?

Valérie :   À huit heures et demie, au Théâtre du Marais.

Sylvie :   Bon … Après le travail, je dois rentrer chez moi. Si tu veux, on peut se donner rendez-vous devant le théâtre.

Valérie :   Bon, d'accord, disons à huit heures moins le quart.

Sylvie :   Parfait. Et merci encore pour l'invitation.

Valérie :   De rien. À tout à l'heure !

Sylvie :   À ce soir. Au revoir.

EXERCICE 8

1. Quand est-ce que Valérie et Marc retournent à Bruxelles ?

2. Qu'est-ce qu'ils voulaient faire ce soir ?

3 Pourquoi Marc ne va-t-il pas au théâtre avec sa femme ?

4. À qui Valérie téléphone-t-elle ?

5. Où est son amie ?

6. Qu'est-ce que Sylvie allait faire ce soir avant l'invitation de Valérie ?

7. Où doit-elle aller avant son rendez-vous ?

8. Où Valérie et Sylvie se donnent-elles rendez-vous ?

	présent	passé composé	futur	imparfait	impératif
TU	parles	**as** parlé	parleras	parlais	Parle !
	finis	**as** fini	finiras	finissais	Finis !
	prends	**as** pris	prendras	prenais	Prends !
	vas	**es** allé(e)	iras	allais	Va !
	te lèves	t'**es** levé(e)	te lèveras	te levais	Lève-toi !

(voir tableaux des conjugaisons, p. 148)

EXERCICE 9

Exemple : Pourquoi est-ce que tu **_veux_** sortir aujourd'hui ? *(vouloir)*

1. _____-moi à quelle heure tu _____ manger ! *(dire / vouloir)*

2. Est-ce que tu _____ ton oncle pour le cadeau qu'il t'a offert ? *(remercier)*

3. Ce n'est pas possible ! Tu n' _____ pas _____ à inviter Pierre pour le Nouvel An ? *(penser)*

4. Est-ce que tu _____ de nos vacances en Italie ? *(se souvenir)*

5. Qu'est-ce que tu _____ à Noël prochain ? Est-ce que tu _____ les fêtes de fin d'année en famille ? *(faire / passer)*

6. Est-ce que tu _____ bien _____ au mariage de Caroline ? *(s'amuser)*

7. Quand tu _____ petite, tu _____ les cheveux très longs. *(être / avoir)*

8. Il y a 10 ans, tu me _____ ! *(vouvoyer)*

9. Qu'est-ce que tu _____ à ta grand-mère pour ses 80 ans ? *(offrir)*

10. Où _____-tu _____ ton ami Anatole ? *(rencontrer)*

11. _____ chercher ton frère à la gare ! *(aller)*

12. À quelle heure est-ce que tu _____ demain matin ? *(se lever)*

EXERCICE 10

*Écrivez ce dialogue avec **tu**.*

– M. Martin ! Comment allez-vous ?
Je ne vous ai pas vu depuis que vous
êtes parti ! Comment vont votre femme
et vos enfants ?

Jean-Paul ! Comment vas-tu ?

_____

_____

_____

– M. Romer ! Quelle surprise de vous
voir ! Ça va très bien, merci. Mes
enfants sont maintenant à l'université.
Et les vôtres ?

Guy !

_____

_____

_____

– Les miens vont bien. Ils deviennent
grands. Dites-moi, où habitez-vous
maintenant ?

_____

_____

_____

– Nous avons acheté une maison à
Strasbourg. Votre frère habite là-bas,
n'est-ce pas ?

_____

_____

_____

– Oui, c'est ça, mon frère Vincent.
Vous le connaissez ?

_____

_____

– Oui ! Vous ne vous souvenez pas ?
Je l'ai rencontré quand il est venu avec
vous au bureau, au mois d'octobre.

_____

_____

_____

– Ah oui, c'est vrai. Je peux vous donner
son numéro de téléphone, si vous voulez.
Vous savez, il connaît beaucoup de gens
à Strasbourg.

_____

_____

_____

– Je veux bien. Nous connaissons peu de
gens là où nous sommes. Merci
beaucoup, M. Romer.

_____

_____

_____

> Je connais Luc. Luc me connaît. → Nous **nous connaissons.**
>
> ───────────────
>
> Mon frère et moi, **nous nous écrivons** très souvent.
>
> Marie et Nadine ne **se voient** pas tous les jours.
>
> Est-ce que **vous vous tutoyez** ?

EXERCICE 11

Exemple : Anne et moi, nous habitons dans le même quartier.
Nous ___***nous voyons***___ tous les matins à l'arrêt de bus.

1. Nous _____ toujours quand nous parlons français.

2. Les Caron _____ en juin dernier dans une petite église en Provence.

3. Hier après midi, les deux amis _____ rendez-vous dans un café du Quartier Latin à 16h30.

4. Laurent et Marc _____ depuis 10 ans quand je les ai rencontrés.

5. J'irai en Australie sans ma femme, mais nous _____ tous les jours.

6. Sylvie et Bernard ? Tu sais, ils peuvent _____ dans les yeux pendant des heures !

se téléphoner
se regarder
se voir
se donner
se vouvoyer
se connaître
se marier

Entre amis

Bonjour !
Salut !
Comment allez-vous ?
Ça va ?

Ça va bien, merci.
Quoi de neuf ?
Rien de spécial.

Je vous / te présente …
Enchanté(e).

Connaissez-vous … depuis longtemps ?
Où vous êtes-vous rencontrés ?

Veux-tu venir au cinéma avec moi ?
Oui, pourquoi pas.
On peut y aller ensemble, si tu veux.

Il est tard, je m'en vais.

À tout à l'heure !
À plus tard !
À demain !
À bientôt !
À la prochaine !

Allez, au revoir, les amis !
Salut, les copains !

Noms :

le cadeau   la cousine
   cousin   invitation
   oncle   tante

Verbes :

devenir (amis)   penser
se donner rendez-vous   rester amis
se parler   remercier

Où habitait Valérie il y a cinq ans ?
– Il y a cinq ans, elle habitait à Paris.

Est-ce que vous la connaissiez ?
– Oui, je la connaissais parce que nous
   travaillions dans le même bureau.

Est-ce que vous sortiez ensemble ?
– Oui, nous allions souvent au cinéma.
   Et nous passions nos vacances
   ensemble.

*Vous souvenez-vous comment elle a
rencontré son mari ?*
– Oui, je me souviens comment elle l'a
   rencontré.
   C'était pendant ses vacances.
   Un ami les a présentés.
   Ils se sont écrit pendant quelque temps.
   Ils se sont vus plusieurs fois.
   Trois ans après, ils se sont mariés.

*Est-ce qu'ils ont invité beaucoup d'amis à
leur mariage ?*
– Oui, ils en ont invité beaucoup. Et ils
   se sont tous bien amusés.

Est-ce que Valérie et son mari se tutoient ?
– Oui, bien sûr, ils se tutoient.

*Est-ce que vous et votre patron vous vous
tutoyez aussi ?*
– Non, nous ne nous tutoyons pas.
   Nous nous vouvoyons.

*Qu'est-ce que vous faites pour les fêtes
de fin d'année ?*
– Nous passons Noël en famille et le
   Nouvel An avec des amis.

*Quand tu étais petit, est-ce que tu fêtais
ton anniversaire ?*
– Oui, je le fêtais avec ma famille et mes
   amis. Ils m'offraient de beaux cadeaux.

Expressions :
Bon anniversaire !
Félicitations !
Quelle surprise !
Quoi de neuf ?
Rien de spécial.
Dis donc, veux-tu prendre un verre ?
Avec plaisir !
Salut !

CHAPITRE

3

Christian Charleroi, un jeune Québécois d'une trentaine d'années, est arrivé à Grenoble, où il va travailler pendant deux ans. Ce matin, il va à la banque.

L'employée : Bonjour, monsieur, vous désirez ?

Christian : Bonjour, madame, j'aimerais ouvrir un compte.

L'employée : Bien, monsieur. Avez-vous une pièce d'identité ?

Christian : Oui, heu … je suis canadien, je viens de m'installer à Grenoble. J'ai mon passeport. Ça va ?

L'employée : Oui, tout à fait. Il faut aussi remplir ces formulaires.

Christian remplit les formulaires et les rend à l'employée.

L'employée : Parfait ! Et combien voulez-vous déposer pour commencer ?

Christian : J'ai 3 000 dollars canadiens en chèques de voyage.

L'employée : Bien, vous devez signer tous les chèques.

Christian : Voilà … est-ce que je vais avoir un carnet de chèques et une carte bancaire ?

L'employée : Vous avez un emploi ici, à Grenoble ?

Christian : Oui, je viens de commencer il y a une semaine.

L'employée : Je suis désolée. Je ne peux pas vous commander de carnet de chèques avant le premier versement de votre salaire.

Christian : D'accord. Je vais recevoir mon premier salaire à la fin du mois. Je voudrais aussi changer de l'argent.

L'employée : Alors, il faut aller au guichet 5.

Christian : Merci bien !

L'employée : Je vous en prie. Au revoir, monsieur.

EXERCICE 12

1. De quelle ville vient Christian Charleroi ?

2. Combien de temps passera-t-il en France ?

3. Pourquoi va-t-il à la banque ?

4. Quels papiers a-t-il apportés pour ouvrir son compte ?

5. Que doit faire Christian avec les formulaires ?

6. Combien d'argent mettra-t-il sur son compte pour commencer ?

7. Pourquoi ne peut-il pas avoir de carnet de chèques tout de suite ?

8. Depuis combien de temps travaille-t-il à Grenoble ?

Est-ce que tu laves toujours ta voiture **toi-même** ?
– Non, quelquefois je la **fais laver**.

Où dois-je faire vérifier ma voiture ?
– **Faites**-la **vérifier** au garage Renault !

EXERCICE 13

A. *Exemple :* Le directeur n'écrit pas son courrier lui-même.

Il le fait écrire.

1. Tu ne peux pas enregistrer les valises toi-même.

2. Nous ne nous coupons pas les cheveux nous-mêmes.

3. Vous ne faites pas vos courses vous-même.

4. L'employé n'a pas rempli le formulaire lui-même.

5. Peu de gens réparent leurs chaussures eux-mêmes.

B. *Exemple :* Alain, où avez-vous fait réparer votre voiture ?

Je ne l'ai pas fait réparer. Je l'ai réparée moi-même.

1. Dans quel magasin de photos Jean a-t-il fait développer sa pellicule ?

2. Dans quelle pâtisserie Mme Duval a-t-elle fait faire ce gâteau ?

3. Quand feras-tu confirmer ton voyage ?

4. Dans quelle teinturerie est-ce que vous avez fait nettoyer votre chemise ?

5. Où votre grand-mère faisait-elle faire ses robes ?

Après sa visite à la banque, Christian Charleroi est allé faire des courses au Lys d'Or, près de son nouvel appartement.

LE LYS D'OR
CENTRE COMMERCIAL

À dix minutes du centre ville, venez faire vos achats, de 10h à 22h, du lundi au samedi. Fermé le dimanche. Grande sélection de boutiques et de restaurants.

6, Bd du Maréchal
38000 GRENOBLE
Tél : 76 30 16 42

Photographe Clic-Clac
Faites développer vos photos en UNE HEURE. Déposez vos pellicules avant d'aller faire vos courses !

Pizzéria ROMÉO
La meilleure cuisine italienne de la ville. (Apéritif offert par la maison !)

Teinturerie LAMARCHE
Faites nettoyer vos vêtements pendant que vous faites vos achats.

Coiffure STYLE 2000
Pour hommes et femmes. Avec ou sans rendez-vous.

EXERCICE 14

1. Où est le Lys d'Or ?

2. Quand le centre commercial est-il ouvert ?

3. Au magasin Clic-Clac, en combien de temps peut-on avoir ses photos ?

4. Où dépose-t-on ses vêtements pour les faire nettoyer ?

5. Est-il nécessaire d'avoir un rendez-vous pour se faire couper les cheveux ?

C'est le mois de juillet et le temps des vacances. Christian Charleroi, en France depuis six mois, va passer une semaine en Provence et il a décidé d'y aller en auto-stop.

Il va à l'entrée de l'autoroute, direction Valence. Il tient une pancarte sur laquelle il a écrit « Avignon ». Vingt minutes plus tard, une magnifique voiture de sport rouge s'arrête devant lui.

Christian : Vous allez en Avignon ?

Le conducteur : Non, …

Christian n'entend pas la réponse parce que la musique dans la voiture est très forte.

Christian : Comment ? Vous allez où ?

Le conducteur : Valence. Montez !

Christian : Super ! Merci !

La voiture démarre rapidement.

Christian : Elle est bien, votre voiture. Elle a l'air rapide.

Le conducteur : Oh, oui, on fait facilement du 180.

Christian :	180 ? Mais … il n'y a pas de limitation de vitesse ?
Le conducteur :	Bien sûr, il y en a. Mais, vous savez, on n'achète pas une bagnole[1] comme celle-là pour rouler à 130 !

Christian regarde l'indicateur de vitessse qui monte : 140, 145 … Puis, il remarque[2] que le conducteur n'a plus les yeux sur la route ! Il est en train de chercher une cassette derrière lui ! Tout à coup, quelqu'un freine devant eux.

Christian :	Attention ! On freine devant !

Le conducteur freine violemment[3] et klaxonne. Christian ferme les yeux.

Le conducteur :	Quel idiot, celui-là ! Pourquoi il fait ça ?
Christian :	Regardez ! Toutes les voitures devant nous ralentissent. Il y a sûrement un embouteillage.
Le conducteur :	Ça alors ! Je ne veux pas rester là toute l'après-midi. Je vais doubler tout ça par la droite et prendre la prochaine sortie.

« Et moi, je ne veux pas rester dans cette voiture une minute de plus, » se dit Christian. « Je vais trouver un autre moyen pour aller en Avignon. »

[1] *bagnole = voiture*
[2] *remarque = voit*
[3] *violemment = rapidement et fortement*

EXERCICE 15

1. Comment Christian va-t-il en Avignon ?

2. Comment est la voiture qui s'arrête ?

3. Pourquoi Christian entend-il mal la réponse du conducteur ?

4. Pourquoi le conducteur n'a-t-il pas vu que quelqu'un freinait devant eux ?

5. Pourquoi est-ce que toutes les voitures ralentissent ?

6. Qu'est-ce que Christian décide-t-il de faire ?

> Sophie et André parlent-ils **de leur week-end** ?
> → Oui, ils **en** parlent.
>
> Ont-ils envie **de visiter le Louvre** ?
> → Oui, ils **en** ont très envie.

EXERCICE 16

Exemples : Pourrons-nous parler **des vacances** ? *(oui, après le déjeuner)*
Oui, nous pourrons en parler après le déjeuner.

Avez-vous **un compte en banque** ? *(oui)*
Oui, j'en ai un.

1. As-tu changé **de lunettes** ? *(oui, hier)*

2. Est-ce que vos invités ont envie **de regarder la télévision** ? *(non, pas du tout)*

3. Jacques, aura-t-il besoin **de la voiture** demain ? *(oui, toute l'après-midi)*

4. Est-ce que vous vous souvenez **de votre premier appartement** ?
(non, pas très bien)

5. Est-ce que ton fils avait **de la fièvre** ? *(oui, un peu)*

6. Est-ce que vous devez remplir **des formulaires** ? *(oui, plusieurs)*

7. Combien **de pellicules** as-tu fait développer ? *(trois)*

8. Est-ce que Michel a **des cartes de crédit** ? *(non, pas une seule)*

9. A-t-il retiré **de l'argent** au distributeur automatique ? *(oui, beaucoup)*

10. Combien **de plats** le garçon a-t-il conseillé ? *(deux)*

Cet exercice est **facile**.
→ On le fait **facilement**.

Nous verrons Sabine la semaine **prochaine**.
→ Nous la verrons **prochainement**.

 vraiment, gentiment

EXERCICE 17

Exemple : Béatrice, ta robe te va ___*parfaitement*___ !

1. J'ai préparé ce plat _____ – en moins de 30 minutes !

2. Le dîner était excellent. Nous avons _____ bien mangé hier soir !

3. Nous allons nous revoir très _____ !

4. Qu'est-ce que l'employé de banque t'a dit ?
    – _____, il m'a demandé de remplir ces papiers.
    _____, il m'a dit d'aller au guichet numéro 3.

5. Si M. Renaud ne parle pas _____ au téléphone, je le comprends mal.

6. Chantal vient de me téléphoner et nous avons _____ parlé de son travail. Ça a duré presque trois heures !

7. Daniel a expliqué _____ à ses enfants qu'ils ne devaient plus jouer avec ses papiers.

8. Nous pourrons _____ vous envoyer votre carte de crédit si nous n'avons pas votre adresse !

difficilement

premièrement

prochainement

parfaitement

gentiment

longuement

lentement

vraiment

rapidement

deuxièmement

Noms :
le coiffeur   la pièce d'identité
   formulaire
   indicateur
   versement

Verbes :
couper   entendre
démarrer   klaxonner
doubler   tenir

*Qu'est-ce que la banque vous donne
quand vous ouvrez un compte ?*
– Elle me donne un carnet de chèques
   et une carte bancaire.

*Et qu'est-ce que vous déposez tous les
mois sur votre compte ?*
– J'y dépose le salaire que je gagne.

*Pourquoi allez-vous au distributeur
automatique ?*
– J'y vais pour retirer de l'argent.

Où peut-on aller faire des courses ?
– On peut aller dans un centre commercial.

*Est-ce que vous développez vous-même
vos pellicules ?*
– Non, je ne les développe pas moi-même.
   Je les fais développer par un photographe.

*Est-ce que Mme Martin nettoie elle-même
ses vêtements ?*
– Non, elle les fait nettoyer à la teinturerie.

Où faites-vous réparer votre voiture ?
– Je la fais réparer dans un garage.

*Qu'est-ce qu'il faut avoir pour pouvoir
conduire une voiture ?*
– Il faut avoir un permis de conduire.

*Est-ce qu'on peut rouler très vite sur les
autoroutes ?*
– Oui, on peut rouler très vite, mais il
   y a des limitations de vitesse.

*Que doivent faire les conducteurs quand,
tout à coup, il y a un embouteillage ?*
– Ils doivent ralentir.

Et qu'est-ce qu'ils font pour s'arrêter ?
– Pour s'arrêter, ils freinent.

*Est-ce que vous avez besoin d'une
voiture pour aller au travail ?*
– Non, je n'en ai pas besoin, parce qu'il
   y a d'autres moyens de transport.

Avez-vous envie d'en avoir une ?
– Oui, j'ai très envie d'une voiture de
   sport !

Expressions :
À combien est l'euro aujourd'hui ?
J'aimerais changer 500DM.
Tu as l'air fatigué.
Il fait du 180 km/h !

CHAPITRE

4

Mesdames, messieurs, chers amis !

J'ai l'honneur et le grand plaisir de vous accueillir ici, ce soir, pour fêter le 50ème anniversaire de la société Brunet Père et Fils.

Fondée en 1946, la société Brunet n'était qu'une petite entreprise familiale de quatre personnes que dirigeait mon père, Georges Brunet. Il fabriquait des meubles de qualité et était le meilleur artisan de la région. Son entreprise et les beaux meubles étaient sa passion.

C'est en 1955 que les choses ont changé pour la petite entreprise Brunet. Pour répondre à une demande de plus en plus importante, mon père a décidé d'acheter une usine à Chambéry et d'employer 20 personnes. L'entreprise artisanale est alors devenue une P.M.E.[1] Il y a 5 ans, mon père nous a dit qu'il partait à la retraite. Mais il ne nous a pas oubliés ! Il s'intéresse à ce que nous faisons et il est toujours prêt à nous donner ses conseils.

[1] *P.M.E. = Petite et Moyenne Entreprise*

Aujourd'hui, 50 ans après nos débuts modestes, nous employons 210 personnes. Nous sommes fiers de fabriquer des meubles français de la meilleure qualité. Nous exportons maintenant 30% de notre production vers l'Europe où nos produits connaissent un grand succès.

Et c'est grâce à vous tous, ici présents, à votre collaboration et à votre excellent travail que nous sommes parmi les premiers fabricants de meubles français. Je voudrais donc vous en remercier de la part de mon père et de moi-même.

Mais assez de discours ! Buvons à la prospérité de Brunet Père et Fils et à ses employés !

EXERCICE 18

1. Qu'est-ce qu'on fête à ce dîner ?

2. Combien de personnes travaillaient pour la société Brunet à ses débuts ?

3. Et aujourd'hui ?

4. Pourquoi Georges Brunet a-t-il dû acheter une usine en 1955 ?

5. Quand a-t-il décidé de partir à la retraite ?

6. Quel pourcentage de sa production la société Brunet vend-elle en France ?

7. Vers quels pays exporte-t-elle ses produits ?

8. Grâce à quoi la société Brunet est-elle parmi les premiers fabricants de meubles français ?

> Qu'est-ce **que** vous faites ?
> → Vous me demandez **ce que** je fais.
>
> Qu'est-ce **qui** plaît à Paul ?
> → Vous me demandez **ce qui** lui plaît.

EXERCICE 19

Exemple : Qu'est-ce que vous regardez sous la table ?
Je veux savoir _**ce que vous regardez sous la table**_ .

Qu'est-ce qui est bon dans ce restaurant ?
Nous demandons au serveur _**ce qui est bon dans ce restaurant**_ .

1. Qu'est-ce que vous allez faire pendant les vacances ?
   Michel me demande _____.

2. Qu'est-ce qui est à la mode en Europe ?
   Je voudrais savoir _____.

3. Qu'est-ce qui ne va pas ?
   Elle te demande _____.

4. Qu'est-ce que votre femme a pensé du film ?
   Je vous demande _____.

5. Qu'est-ce qui appartient à Charles ?
   Je voudrais savoir _____.

6. Qu'est-ce que vous prenez comme dessert ?
   Le serveur nous a demandé _____.

7. Qu'est-ce que le P.-D.G. a dit dans son discours ?
   Nous te demandons _____.

8. Qu'est-ce qui est nécessaire pour le voyage ?
   Nous voulons savoir _____.

EXERCICE 20

Exemple : Stéphanie m'a donné 3 billets de théâtre. Voulez-vous venir avec nous ?
– ___*Oui, avec plaisir !*___

1. Est-ce que Muriel est là aujourd'hui ?

   – _____

2. _____ Mᵐᵉ Faber.
   – Enchanté, madame.

3. Pourrez-vous assister à la réunion de demain ?

   – _____

4. Salut, Christine ! _____
   – Oh, rien de spécial.

5. Tu viens d'acheter ce pull ?

   – _____

6. Vous êtes allé voir M. Maillard hier. Comment allait-il ?

   – _____

Non, je l'ai fait moi-même.
Oh, c'est gentil !
Oui, avec plaisir !
Quelle surprise !
Permettez-moi de vous présenter …
Non, elle est absente.
Il avait l'air fatigué.
Non, c'est impossible.
C'est grâce à ma femme !
Quoi de neuf ?
Non, je me sens mieux, merci.

7. Quand je suis allé à Paris, j'ai acheté quelque chose pour vous.

   – _____

8. Est-ce que vous avez toujours mal à la tête ?

   – _____

9. Votre maison est vraiment jolie !

   – _____

10. M. Leblanc ! _____
    – Oh, Mᵐᵉ Dupuis, il y a longtemps que je ne vous ai pas vue ici.

Pierre Lambert, chef du personnel de la société Brunet doit embaucher une nouvelle secrétaire pour le responsable du marketing. Il a donc mis une annonce dans le journal. Parmi les nombreuses réponses qu'il a reçues, il en a choisi cinq. Aujourd'hui, il a un entretien avec un des candidats, Catherine Perron.

M. Lambert : Bonjour, Mlle Perron, asseyez-vous, je vous prie.

Mlle Perron : Bonjour, M. Lambert.

M. Lambert : Mlle Perron, pouvez-vous me dire en quoi consiste votre travail actuel ?

Mlle Perron : Je suis secrétaire d'une petite agence de publicité. Mon travail consiste à rédiger et taper le courrier, faire du classement, répondre au téléphone et accueillir les clients.

M. Lambert : Et pourquoi voulez-vous changer d'emploi ?

Mlle Perron : J'aime bien mon travail. Je suis à la recherche d'un poste avec plus de responsabilités où j'aurai la possibilité d'être plus en contact avec l'étranger.

M. Lambert : Je vois sur votre C.V. que vous êtes également[1] bilingue.

Mlle Perron : Oui, j'ai passé six mois à Londres comme stagiaire.

M. Lambert : Vous travaillez sur ordinateur, bien sûr ?

Mlle Perron : Oui, je maîtrise WordPerfect et Excel et j'ai aussi déjà travaillé sur plusieurs logiciels de mise en page.[2]

M. Lambert : Eh bien, la personne que nous recherchons assistera[3] le responsable du marketing. Elle devra gérer[4] son emploi du temps, organiser ses déplacements et rédiger beaucoup de correspondance en anglais.

Ensuite, M. Lambert a donné à Mlle Perron plus de détails sur le poste. À la fin de l'entretien, il lui a demandé de revenir pour un deuxième entretien avec le responsable du marketing.

[1] *également = aussi*
[2] *mise en page = organisation de texte sur une page*
[3] *assister quelqu'un = aider quelqu'un*
[4] *gérer = organiser*

EXERCICE 21

1. Qui est M. Lambert ?

2. Qu'a fait M. Lambert avant de choisir cinq candidats ?

3. Pourquoi Mlle Perron est-elle venue à la société Brunet ?

4. Qu'a-t-elle comme travail actuellement ?

5. Pourquoi veut-elle changer de poste ?

6. Quelles langues Mlle Perron parle-t-elle ?

7. Quels logiciels maîtrise-t-elle ?

8. Qui verra-t-elle à son deuxième entretien ?

EXERCICE 22

Exemple : Marc s'intéresse beaucoup __à__ l'entreprise de son père.

       a) sur   b) de   **c) à**

1. Nous exportons de nombreux produits _____ les Etats-Unis.

       a) vers   b) dans   c) de

2. Mme Lemaire vient d'accepter un poste _____ responsabilités.

       a) avec   b) pour   c) à

3. Les Doret passeront les fêtes de fin d'année _____ famille.

       a) avec   b) pour   c) en

4. Mon frère est très fier _____ sa nouvelle moto.

       a) avec   b) de   c) au

5. Quand est-ce que le chef du personnel va partir _____ retraite ?

       a) au   b) à la   c) dans la

6. Nos amis ont l'air _____ avoir bu trop de champagne.

       a) de   b) pour   c) d'

7. _____ quoi consiste votre travail ?

       a) À   b) En   c) Dans

8. Quand Sylvie est rentrée de Paris, elle roulait _____ 150 km/h sur l'autoroute.

       a) à   b) de   c) en

9. Ce candidat est à la recherche _____ poste à plein temps.

       a) de   b) d'un   c) du

10. Est-ce que tu étais responsable _____ invitations ?

       a) avec les   b) des   c) pour les

COMMENCER, CONTINUER ou FINIR ?

EXERCICE 23

Exemple : M. Martin __*continuera à*__ travailler à mi-temps jusqu'à la fin du mois.
(continuer à / commencer à)

1. Il y a 25 ans que mon père _____ conduire.
   (commencer par / commencer à)

2. Sébastien a essayé de réparer sa voiture lui-même, mais après trois heures de travail, il _____ la laisser au garagiste. *(finir par / commencer à)*

3. Après un long entretien avec son patron, Mme Colin _____ accepter ses nouvelles responsabilités. *(finir de / finir par)*

4. Quand je rentre du travail, je _____ préparer le dîner.
   (commencer à / commencer par)

5. Il y a des années que les employés de cette entreprise _____ travailler avec des ordinateurs. *(commencer par / commencer à)*

6. _____ quoi vas-tu _____ ta journée demain matin ?
   (commencer par / finir par)

7. Les médecins conseillent à leurs patients de _____ fumer.
   (s'arrêter de / continuer à)

8. Il est 20h et les enfants n'_____ pas encore _____ faire leurs devoirs.
   (finir de / finir par)

9. J'_____ me faire couper les cheveux ici parce que c'était trop cher.
   (continuer à / arrêter de)

10. Si nous _____ rouler trop vite, nous aurons des problèmes avec la police.
    (finir par / continuer à)

Noms :
un avocat
    banquier
    emploi du temps
    ingénieur
    logiciel

Adjectifs :
absent   présent
fier   responsable

Que va faire le P.-D.G. de l'entreprise ce soir ?
– Il va donner un discours pour accueillir le nouveau chef du marketing.

Que pense-t-il des nouveaux produits de son entreprise ?
– Il pense qu'ils auront beaucoup de succès à l'étranger.

Que fabrique l'usine qu'il dirige ?
– Elle fabrique des meubles en bois qu'elle exporte vers l'Europe.

Quand l'entreprise a-t-elle commencé à fabriquer des meubles ?
– Il y a cinquante ans, elle a commencé à faire des meubles artisanaux.

Que fait-on quand on recherche un emploi ?
– On répond à des annonces et on envoie son C.V. au chef du personnel.

Que fait le chef du personnel ?
– Il lit les C.V. et choisit quelques candidats.
Ensuite, il les invite à un entretien.

Que demande-t-il aux candidats pendant l'entretien ?
– Il leur demande ce qu'ils font dans leur poste actuel et pourquoi le nouvel emploi les intéresse.

Est-ce que tous les employés travaillent à plein temps ?
– Non, quelques employés travaillent à mi-temps.

En quoi consiste le travail des secrétaires ?
– Il consiste à rédiger et à taper des lettres sur l'ordinateur et faire du classement.

Y a-t-il des stagiaires à la société … ?
– Oui, il y a de nombreux stagiaires qui viennent travailler tous les étés.

Est-ce que la publicité est importante pour une entreprise moderne ?
– Oui, elle est de plus en plus importante.

Est-ce que votre père travaille toujours ?
– Non, il est parti à la retraite il y un an.

Expressions :
Asseyez-vous, je vous prie.
M. Brunet est en déplacement.
J'ai l'honneur de vous dire que …

CHAPITRE

5

Aujourd'hui dimanche, c'est le jour de la finale-messieurs des Internationaux de tennis, au stade Roland-Garros à Paris. En arrivant à l'entrée du stade, Pascal Auger a vu son amie Sylvie Féraud.

Pascal : Sylvie ! Quelle surprise !

Sylvie : Salut, Pascal ! Ah, ça alors ! Viens, on se met vite à la queue !

Pascal : Oui, allons-y !

Sylvie : Alors, qu'est-ce que tu fais là ? Je ne savais pas que tu aimais le tennis. Comment tu as eu un billet pour la finale ?

Pascal : J'ai eu de la chance. Un collègue est tombé malade et il m'a donné le sien.

Sylvie : Ça alors ! Moi j'ai dû payer une fortune. Et encore ! J'ai vu des gens dans le parking qui vendaient des billets à cinq fois le prix officiel. C'est fou !

Pascal : Dis-moi Sylvie, tu étais là pour les demi-finales vendredi ?

Sylvie :   Oui, j'étais là. C'était super !

Pascal :   C'est vrai ! Moi, je les ai vues à la télé.

Après une demi-heure de queue, les deux amis commencent à avancer.

Pascal :   Ah, ça y est ! On va pouvoir entrer.

Sylvie :   Oh, tu sais, ce n'est pas si terrible. La semaine dernière je suis allée à un concert et j'ai dû attendre plus d'une heure.

Pascal :   Dis, Sylvie, si on a encore le temps avant le match, on va prendre quelque chose à boire ?

Sylvie :   Oui, bonne idée !

EXERCICE 24

1. Pourquoi Pascal et Sylvie sont-ils à Roland-Garros ?

2. Quand Pascal a-t-il rencontré son amie ?

3. Comment Pascal a-t-il eu son billet ?

4. Est-ce que Sylvie a payé cher son billet ?

5. À combien vend-on des billets dans le parking du stade ?

6. Lequel des deux amis était déjà au stade pour les demi-finales ?

7. Combien de temps ont-ils fait la queue ?

8. S'ils ont un peu de temps avant le match, que feront-ils ?

> *Pascal Auger arrive* au stade. Il voit Sylvie Féraud.
> → **En arrivant** au stade, Pascal Auger voit Sylvie Féraud.
>
> Nous parlions des vacances *quand nous sommes entrés* dans le magasin.
> → Nous parlions des vacances **en entrant** dans le magasin.
>
> _____
>
> Est-ce que tu t'es endormie **en lisant** le journal ?
>
> **En venant**, mes parents ne se sont pas arrêtés à la boulangerie.
>
> Yvette était très contente **en voyant** tous les clients dans le magasin.

EXERCICE 25

Exemple : Je passais devant chez Florence. J'ai vu sa nouvelle voiture.
En passant devant chez Florence, j'ai vu sa nouvelle voiture.
J'ai vu la nouvelle voiture de Florence en passant devant chez elle.

1. Nicolas a organisé ses papiers. Il a trouvé son passeport.

2. Sylvie a entendu le klaxon. Elle a ralenti.

3. Tu as oublié quelque chose. Tu as rempli ton formulaire.

4. Vous êtes sorti. Est-ce que vous avez vu la neige ?

5. Nous faisions la queue. Nous avons mangé une glace.

6. Je suis allé à la piscine. J'ai rencontré ma voisine.

7. Marc s'est rasé. Il s'est coupé.

8. Les enfants sont partis. Ils n'ont pas dit « au revoir ».

9. Lydie a lu le journal. Est-ce qu'elle a vu la photo de son mari ?

10. Je suis arrivé au restaurant. J'ai enlevé mon manteau et mes gants.

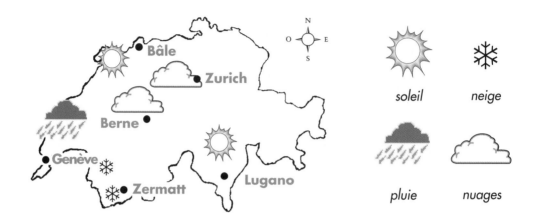

EXERCICE 26

A. 1. Où neigera-t-il ?

2. Quel temps fera-t-il dans l'ouest de la Suisse ?

3. Où y aura-t-il des nuages ?

4. Quel temps fera-t-il à Bâle ?

lundi	mardi	mercredi	jeudi
0° C	-5° C	2° C	3° C

B. **Le temps des prochains jours :**

Lundi, le _____ sera _____ et il fera 0° C. Le

lendemain, mardi, la **_température_** descendra et il fera

_____ mais il y aura du _____ . Mercredi et jeudi,

les _____ reviendront et il commencera à _____

l'après-midi. Il pleuvra jusqu'à vendredi.

pleuvoir
température
nuageux
soleil
temps
nuages
froid

LE TOUR DE FRANCE

Le Tour de France a bientôt 100 ans ! Né en 1903 à partir d'une idée du journal *l'Auto*, le Tour de France est devenu la plus grande compétition du cyclisme mondial. Pendant trois semaines au mois de juillet, plus de 200 coureurs[1] pédalent frénétiquement[2] sur les routes de France.

Le Tour de France est un vrai phénomène français : des milliers de spectateurs s'installent au bord des routes avec leur pique-nique et leur chaise de camping. Même sous la pluie, ils attendent quelquefois pendant des heures de voir passer en quelques secondes leur coureur préféré.

Les cyclistes doivent faire entre 200 à 300 kilomètres chaque jour. Les étapes de montagne sont bien sûr les plus difficiles. C'est à l'Alpe d'Huez, près de Grenoble, que les coureurs prouvent leur courage et leur force. Les derniers cyclistes de ces étapes arrivent parfois[3] une heure après les premiers !

[1] *coureur = ici, cycliste*

[2] *frénétiquement = très énergiquement*

[3] *parfois = quelquefois*

Enfin, après trois semaines de montées et de descentes, de fatigue et de soif, les cyclistes arrivent à Paris, sur une des plus belles avenues du monde, les Champs-Élysées. On récompense alors le gagnant de la course par le maillot[4] jaune. Tout coureur cycliste rêve de porter un jour ce célèbre maillot !

Après avoir suivi les événements du Tour, des centaines de cyclistes amateurs, « les coureurs du dimanche », comme on les appelle en France, sautent[5] sur leur vélo, prêts à revivre les moments les plus extraordinaires de la course !

[4] *maillot = ici, T-shirt des coureurs*
[5] *sauter = ici, monter très rapidement*

EXERCICE 27

1. _____ est né en 1903.

   a) Le journal *l'Auto*
   b) Le Tour de France
   c) Le cyclisme mondial

2. Le Tour de France _____.

   a) est moins connu que le Tour d'Italie
   b) est presque aussi connu en Asie qu'en Europe
   c) est l'événement le plus important dans le monde du cyclisme

3. Le gagnant de la course _____.

   a) reçoit le maillot jaune
   b) récompense les autres coureurs
   c) arrive une heure avant les autres cyclistes

4. Les « coureurs du dimanche » sont _____.

   a) les spectateurs qui s'installent au bord des routes de la course
   b) les cyclistes amateurs qui refont les routes du Tour
   c) les cyclistes qui gagnent les étapes du dimanche

APRÈS AVOIR REGARDÉ LES CYCLISTES ...

> On a regardé les cyclistes; ensuite, on est allé au café.
> → **Après avoir regardé** les cyclistes, on est allé au café.
>
> Je suis sortie de la maison et j'ai pris un taxi.
> → **Après être sortie** de la maison, j'ai pris un taxi.

EXERCICE 28

Exemples : Nous sommes rentrés ; ensuite, nous avons dîné.
   ***Après être rentrés**, nous avons dîné.*

   J'ai regardé le film ; j'en ai parlé à mes amis.
   ***Après avoir regardé le film**, j'en ai parlé à mes amis.*

1. Nous avons eu trois jours de pluie, puis nous avons eu du beau temps pendant nos derniers jours de vacances.

2. Je suis allé voir le Tour de France ; ensuite, j'ai eu envie de faire du cyclisme.

3. Tu es passé trois fois devant chez moi ; enfin, tu as trouvé ma maison.

4. Olivier a perdu la course ; après, il n'était pas très content.

5. Nous déjeunerons. Ensuite, est-ce que nous irons nous promener dans la forêt ?

6. Les enfants ont regardé un film de Superman ; maintenant ils rêvent d'être fort comme lui.

7. Mes sœurs se sont brossé les dents ; elles n'ont plus voulu manger de gâteau.

8. Sylvain est tombé malade ; il est resté au lit très longtemps.

9. Caroline rejoindra son ami à Paris. Partira-t-elle ensuite en Belgique avec lui ?

10. Olivier a longuement parlé avec son patron. Le lendemain, il a eu une promotion.

EXERCICE 29

Exemple : Quand il fait **beau**, je fais du vélo. Mais quand il fait _**mauvais**_ je reste à la maison.

1. Nous nous verrons chez Pascal, dans le **sud** de la Belgique. Puis, nous irons chez sa cousine dans le _____.

2. **Grâce à** Myriam, j'ai pu avoir des billets pour le concert. Mais _____ toi, je n'ai pas pu y aller !

3. Emmanuel s'intéresse **de plus en plus** au football, mais maintenant, il joue _____ au tennis.

4. J'ai dit à Fabrice qu'il ne pouvait pas **gagner** chaque fois. Il faut aussi savoir _____.

5. Il y a toujours de _____ sportifs dans le parc le week-end. Pendant la semaine, il y en a très **peu**.

dépose
joueurs
mauvais
de moins en moins
démarrer
perdre
en retraite
nombreux
nord
à cause de
plein temps

6. Je **retire** de l'argent toutes les semaines et je ne _____ mes chèques qu'une fois par mois.

7. J'ai commencé par travailler à **mi-temps**. Puis, on m'a proposé un poste à _____.

8. Tous les **spectateurs** attendaient les _____ qui étaient en retard.

9. Mme Masson ne **travaille** plus avec nous. Depuis quand est-elle _____ ?

10. Jean s'est **arrêté** devant la poste pendant quelques minutes pour envoyer des lettres. Mais quand il a voulu repartir, la voiture n'a pas pu _____.

Noms :

le millier	la descente
	force
	neige
	pluie

Verbes :

gagner	prouver
nager	rêver
perdre	suivre

Quel temps fait-il au printemps ?
– Au printemps, il fait doux et il y a
  du soleil.

Quel temps fait-il en été ?
– En été, il fait beau et chaud.

*À partir de quelle saison commence-t-il
à faire mauvais ?*
– Il commence à faire mauvais en
  automne ; il pleut et il y a du vent.

Quel temps fait-il en hiver ?
– En hiver, il fait froid et il neige.

En quelle saison peut-on faire du sport ?
– On peut faire du sport en toute saison.

Où se jouent les matchs de football ?
– Ils se jouent dans un stade.

*Que doivent faire les spectateurs après
avoir acheté leur billet ?*
– Ils doivent souvent faire la queue
  avant d'entrer dans le stade.

*Qu'est-ce que les joueurs doivent avoir
pour jouer au football ?*
– Ils doivent avoir un ballon.

Et pour jouer au tennis ?
– Ils doivent avoir une raquette et des
  balles.

*Est-ce que le Tour de France est un
événement automobile ?*
– Non, c'est une course cycliste.

Que font les spectateurs ?
– Ils restent au bord de la route et
  regardent passer les cyclistes.

Que font les cyclistes ?
– Ils avancent vite en pédalant.

*Avec quoi récompense-t-on
le gagnant ?*
– On donne au gagnant le maillot
  jaune.

Les point cardinaux :
nord, sud, est, ouest

Expressions :
C'était super !
C'est fou !
Ça y est !
C'est une bonne idée !
Ce n'est pas si terrible !

CHAPITRE

6

Anne-Marie Charleroi, une jeune Québécoise, vient de déménager à Vancouver où elle va faire un stage d'un an pour son travail. Aujourd'hui, elle appelle son frère Christian qui est en France, à Grenoble.

Christian : Allô !

Anne-Marie : Allô, Christian ? C'est Anne-Marie ! Comment vas-tu ?

Christian : Anne-Marie ! Ça alors, quelle surprise ! Mais où es-tu ?

Anne-Marie : Je t'appelle de mon nouvel appartement à Vancouver. J'ai déménagé le week-end dernier.

Christian : Ah, déjà ? Je pensais que le déménagement était pour le mois prochain.

Anne-Marie : En fait, j'ai dû commencer mon nouveau travail un peu plus tôt que prévu.

Christian : Alors, comment tu trouves Vancouver ?

Anne-Marie : C'est difficile à dire ! Je n'ai pas encore eu le temps de visiter grand-chose[1]. Tu sais, Christian, il y a encore des cartons partout ! Mais je dois dire que Québec me manque, quand même. Dis donc, quand vas-tu venir me voir ?

---

[1] *pas grand-chose = pas beaucoup de choses*

Christian : Sûrement à la fin février.

Anne-Marie : Fin février ? Mais tu ne seras pas à Québec pour le Carnaval ? Tu sais, j'ai déjà pris des jours de vacances pour ça. Et je ne veux surtout pas manquer la soirée du Mardi gras. Cette année, j'ai une idée géniale pour mon costume !

Christian : J'aimerais bien le voir ! Eh, dis-moi, est-ce que tu as rencontré des gens sympa ?

Anne-Marie : Ah, oui ! J'ai déjà fait la connaissance de ma voisine. Elle a l'air très gentille. Elle est de Vancouver et elle connaît toutes les bonnes adresses[2] de la ville. Christian, il y a quelqu'un à la porte. Je vais te laisser.

Christian : Eh, Anne-Marie, c'est pas[3] ton nouveau copain, par hasard ?

Anne-Marie : Christian, je viens d'arriver, quand même ! Allez, salut !

[2] *les bonnes adresses = les bons restaurants, cafés, théâtres, etc., de la ville*
[3] *c'est pas = dans les conversations de tous les jours, on ne dit pas toujours « ne » dans les phrases négatives*

EXERCICE 30

1. Pourquoi Anne-Marie a-t-elle déménagé à Vancouver ?

2. Combien de temps y passera-t-elle ?

3. Quand Christian retournera-t-il au Canada ?

4. Que manquera-t-il ?

5. Avec qui Anne-Marie va-t-elle visiter Vancouver ?

6. Pourquoi ne peut-elle pas continuer la conversation ?

EXERCICE 31

Exemple : __Il y a__ une semaine qu'Anne-Marie a déménagé à Vancouver.

   a) Depuis   **b) Il y a**   c) dans

1. Les Deschamps habitent dans cette maison _____ 1985.

   a) pendant   b) depuis   c) pour

2. _____ combien de temps auras-tu fini ton travail ?

   a) Depuis   b) Pendant   c) Dans

3. Nicolas a prévu de rester au Mexique _____ trois semaines.

   a) pendant   b) en   c) depuis

4. Nous connaissons les Martin _____ vingt ans.

   a) depuis   b) dans   c) pendant

5. Je t'ai attendu _____ plus d'une demi-heure et ensuite je suis parti.

   a) pour   b) dans   c) pendant

6. M. Morel a rencontré sa femme _____ dix ans.

   a) pendant   b) il y a   c) depuis

7. Avez-vous vu Stéphanie _____ qu'elle est rentrée ?

   a) depuis   b) pour   c) pendant

8. Nous ne partirons que _____ huit jours. Ce seront de petites vacances.

   a) Il y a   b) depuis   c) pour

9. Vincent dit qu'il passera à la maison _____ une heure.

   a) pour   b) dans   c) pendant

10. Le P.-D.G. a parlé de nos nouvelles responsabilités _____ trois heures !

   a) pendant   b) pour   c) dans

EXERCICE 32

Exemple : M. et Mme Lambert ___**déménageront**___ cet été. Ce sera leur troisième **déménagement** depuis qu'ils sont partis de Marseille !

1. Je ne savais pas que son père était si **âgé**. Est-ce que tu sais quel _____ il a ?

2. Mme Martin est une femme qui a beaucoup d'**énergie**. Son mari n'est pas aussi _____ qu'elle.

3. Et voici notre _____ ! C'est la troisième fois qu'il **gagne** cette année !

4. Nous avons actuellement deux **stagiaires**. Leur _____ durera six mois chacun.

5. Je me _____ qu'à Genève, il y avait des magasins de **souvenirs** au bord du lac.

6. Christine m'a envoyé une longue lettre de **remerciement**. Elle m'a dit que son mari voulait aussi me _____ pour le cadeau.

7. Mon fils adore le **sport**. Et ma fille est très _____ aussi !

8. Quand M. Perret est rentré, il est allé dans le _____ pour parler au **jardinier**.

9. Tu t'**ennuies** ? – Oui, pas toi ? Je trouve que ce film est vraiment _____ !

10. Quand Thierry **jouait**, tout le monde s'arrêtait et le regardait. C'était le meilleur _____ de son club.

EXERCICE 33

Exemple : Le magasin sera fermé **_à partir_** du 1er juillet.

1. M. Joliet voyage beaucoup. Cette semaine, il est en _____
    à Bordeaux.

2. Si tu vas faire des courses, n'oublie pas de _____
    par la pharmacie.

3. Quand j'ai vu Hélène hier, elle avait _____ fatigué.

4. Combien de personnes pouvez-vous emmener dans
    votre bus ?
    – Environ une _____ .

5. Ça _____ trois ans que mon fils joue au tennis.

6. Je lisais la lettre de Lydie quand, _____ ,
    elle est entrée dans mon bureau.

7. Après la réunion, voulez-vous prendre un _____ ?

8. Martine vient de trouver un travail dans la plus grande agence de publicité de
    Paris. Son mari est très _____ d'elle.

9. Est-ce que tu connais ton _____ du temps pour la semaine prochaine ?

10. Les garçons ne voulaient pas faire la _____ pendant une heure ; alors, ils
    sont partis.

| verre |
| fier |
| l'air |
| tout à coup |
| queue |
| déplacement |
| emploi |
| **à partir** |
| vingtaine |
| fait |
| passer |

Joëlle Fournier et Philippe Giroux se rencontrent au supermarché.

Joëlle : Bonjour, Philippe. Comment vas-tu ?

Philippe : Bien. Et toi ?

Joëlle : Un peu fatiguée. Je meurs d'envie de partir en vacances.

Philippe : À propos de vacances, nous partons bientôt aux sports d'hiver.

Joëlle : Dans quelle station allez-vous ?

Philippe : À Courchevel. On est sûr d'avoir de la neige dans cette région.

Joëlle : Tes enfants savent skier ?

Philippe : Oh, tu sais, ils se débrouillent. Nous sommes allés à Val d'Isère l'année dernière et ils ont pris des cours tous les matins. Ils ont tellement aimé que nous avons décidé de retourner skier cette année.

Joëlle : Vous allez à l'hôtel ?

Philippe :	Non, on a eu de la chance. J'ai vu une annonce dans le journal l'été dernier pour louer un studio qui était disponible juste au moment où[1] on voulait partir. On n'a pas hésité, c'est juste au pied des pistes avec une vue sensationnelle. Et toi ? Tu vas skier, toi aussi ?
Joëlle :	Non, les sports d'hiver ne m'ont jamais attirée. En plus, je n'aime pas le froid. C'est pour ça que je prends toujours mes vacances au soleil.
Philippe :	Tu sais déjà où tu vas partir ?
Joëlle :	Je pars dans un club à la Martinique. J'ai trouvé un forfait[2] intéressant.
Philippe :	Génial ! Quand pars-tu ?
Joëlle :	Le 15 avril, pour huit jours.
Philippe :	Combien ça t'a coûté ?
Joëlle :	1 500€.
Philippe :	1 500 ! Pas mal. Y compris l'avion ?
Joëlle :	Oui, bien sûr. Et ils offrent toutes sortes d'activités : ski nautique, plongée sous-marine, tennis …
Philippe :	C'est fantastique ! Je vais y penser pour l'année prochaine.
Joëlle :	Tu sais, ils ont aussi des forfaits intéressants pour les familles.
Philippe :	Bon, je vais me renseigner.

[1] *au moment où = quand*
[2] *forfait = ici, prix*

EXERCICE 34

1. Que feront Philippe Giroux et sa famille pendant leurs vacances ?

2. Où ses enfants ont-ils appris à skier ?

3. Comment les Giroux ont-ils trouvé le studio qu'ils vont louer ?

4. Pourquoi Joëlle Fournier ne va-t-elle pas faire de ski ?

5. Où préfère-t-elle passer ses vacances ?

6. Quelles activités offre-t-on à la Martinique ?

Au Sahara, il **fait** chaud.

Elle **a** chaud.

L'eau **est** chaude.

EXERCICE 35

Exemple : Quand je regarde le thermomètre et je vois 25°C, je sais qu'il ne **_fait_** pas froid.

1. Les croissants que je viens d'acheter _____ encore chauds.

2. Quand nous sommes allés en Bretagne, il _____ très chaud, mais la mer _____ toujours froide.

3. Marie ne sort jamais avec nous quand il _____ froid.

4. Quand le garçon a enfin apporté nos soupes, elles _____ presque froides.

5. Si vous _____ chaud, ouvrez la fenêtre !

6. Je ne peux vraiment pas boire ce café ! Il _____ trop chaud.

7. Est-ce que vous savez quel temps il _____ demain ?

8. Après avoir joué au football pendant une heure, les enfants _____ chaud et soif.

9. En hiver, s'il _____ 5°C ou moins, je dois mettre un manteau parce que si je sors sans manteau, j'_____ froid.

10. Je ne porte pas cette veste au printemps. Elle _____ trop chaude.

EXERCICE 36

Exemple : Il y a dix ans, il n'y __*avait*__ pas de route ici. *(avoir)*

1. On m'_____ que Marie-Christine et vous, vous _____ depuis l'université.
    (dire / se connaître)

2. Hier soir, quand Albert _____, il _____ deux gros sacs. *(arriver / porter)*

3. Est-ce que Caroline _____ les cheveux la semaine dernière ?
    (se faire couper)

4. Je _____ que tu _____ trop ! *(penser / s'inquiéter)*

5. Il y a dix ans, quand je _____ à Paris, mon appartement _____ à cinq
    minutes de mon bureau. *(travailler / être)*

6. Florence et Gérard _____ l'été prochain. *(se marier)*

7. Marie et Françoise, n'_____ pas de remercier Mme Morel pour les délicieux
    chocolats qu'elle vous _____ ! *(oublier / offrir)*

8. J'_____ 18 ans quand _____ mon permis de conduire. *(avoir / avoir)*

9. Tu _____, Guillaume, quand tu _____ en Italie au mois de juillet, tu me
    _____. *(savoir / être / manquer)*

10. Samedi prochain, nous _____ la compétition de ski chez Paul. Il a une
    grande télévision. *(suivre)*

11. Vous _____ hier soir après le dîner, Mme Lebon ? *(se promener)*

12. Julie _____ en faisant du ski et elle _____ mal à la jambe et au bras.
    (tomber / se faire)

EXERCICE 37

Horizontalement ➜

1. Grande boîte
4. Ils ____ du ski en Suisse.
6. Qu'est-ce qu'il a ____ voiture ?
9. Voilà l'annonce que j'ai ____.
10. Il n'entre pas, il ____.
11. Elle travaille à ____-temps.
12. Brigitte Bardot est une ____ du cinéma français.
14. Si je t'achète ce pull, ____-tu content ?
15. Yves ____ à Paris le mois prochain.
17. Le chef du personnel va ____ deux personnes.
19. Un magasin ____ sport
20. Ici, ____ parle français.
22. Isabelle a 20____.
23. Le sien, la ____

Verticalement ⬇

1. Je fais du vélo ; je suis un ____.
2. Capitale de l'Italie
3. Paul est ____ déplacement.
4. Il n'ouvre pas la porte, il la ____.
5. Sous la table il y a un ____.
7. Voulez-vous du thé ____ du café ?
8. Nord, sud, ____ et ouest
11. Synonyme de brun
13. Capitale de l'Arabie Saoudite
14. Mon portefeuille est toujours dans mon ____.
16. Après minuit, il n'y a personne dans les ____.
18. Je vous présente ____ fils.
21. Elle ____ regarde que des films étrangers.

Verbes :

emmener	manquer
emménager	skier
hésiter	soigner

Adjectifs :

dangereux	disponible

Quand est-ce qu'Anne-Marie est partie de son appartement ?
– Elle a déménagé le week-end dernier.

Est-ce qu'elle s'est bien installée dans son nouvel appartement ?
– Non, pas encore : ses affaires sont encore dans des cartons.

As-tu rencontré ta voisine ?
– Oui, j'ai fait sa connaissance hier, tout à fait par hasard.

Comment la trouves-tu?
– Je trouve qu'elle est très gentille.

Est-ce qu'elle va faire une soirée samedi ?
– Oui, et elle m'a demandé de venir à 20h.

Quel sport préférez-vous faire ?
– Le sport qui m'attire le plus est le ski.

Et vous débrouillez-vous bien au ski ?
– Oui, je me débrouille assez bien.

Qu'est-ce qui s'est passé la dernière fois que vous avez fait du ski ?
– Je suis tombée et je me suis fait très mal au bras et à la jambe.

Combien de temps prévoyez-vous de passer à la montagne cet hiver ?
– Nous prévoyons d'y passer une semaine.

Est-ce que vous irez à l'hôtel ?
– Non, nous n'irons pas à l'hôtel ; nous allons louer un appartement près des pistes.

Aimez-vous le froid ?
– Oui, j'aime le froid, mais j'aime aussi la chaleur.

Et vos enfants ?
– Mes enfants aiment la chaleur, parce qu'ils aiment faire de la plongée sous-marine et du ski nautique.

Comment est la mer en hiver ?
– Elle est très froide.

Est-ce que Joëlle pense aux vacances ?
– Oui, elle y pense.

Expressions :
À propos des vacances …
Combien ça va nous coûter ?
300€ y compris l'avion.
Génial !
Je te laisse, Christian.
Il n'est pas très tard, quand même !
Mais je suis tellement fatigué !

CHAPITRE

7

« Diabolo ! Arrête d'aboyer ! … Vous savez, monsieur, il a l'air méchant, mais en fait, il ne ferait pas de mal à une mouche[1] ! … M. Robin ? Oui, oui, il habite au 3ème. Oh, c'est vraiment un gentil garçon, très discret. Enfin, je vous laisse monter ! »

Le vieux chien se recouche sur son tapis et la concierge retourne à son journal. Ensemble depuis des années, Mme Lepic et son fidèle compagnon, Diabolo, s'occupent de l'immeuble du 19, rue Danton. Rien ne leur échappe[2], ni les petites amies du jeune homme du 1er étage, ni les magnifiques bouquets de fleurs que Mme Marchand reçoit toutes les semaines de son ami de Lyon. Mme Lepic considère que tout ce qui se passe dans son immeuble fait partie de son travail.

Depuis trente ans, c'est Mme Lepic qui monte le courrier des locataires, nettoie les escaliers, sort les poubelles et s'occupe des besoins des habitants de l'immeuble. Mais le dimanche, c'est son jour de repos et il n'est pas question de la déranger.

[1] *mouche = sorte d'insecte*
[2] *Rien ne leur échappe = Ils voient tout*

Mme Lepic a vu de nombreux locataires aller et venir depuis qu'elle habite cet immeuble. Elle a ses préférés, bien sûr, ceux qui lui offrent des plantes et des boîtes de chocolats à Noël. Aux autres, elle dit simplement « bonjour » et « bonsoir ». Elle aime son travail et elle le fait bien. Mais elle s'inquiète quand elle voit qu'autour d'elle, on remplace ses collègues par des interphones et des sociétés de nettoyage. « Est-ce qu'un jour ce sera mon tour aussi ? » se demande-t-elle parfois.

Mais s'il n'y avait pas de concierge au 19, rue Danton, qui ferait le ménage et les courses de M. et Mme Martel, les retraités[3] du 5ème ? Qui arroserait[4] les plantes de Mlle Guérin qui part souvent en voyage ? Et qui accueillerait les locataires et leurs visiteurs avec autant de chaleur et de curiosité ?

[3] retraité = personne à la retraite
[4] arroser = donner de l'eau

EXERCICE 38

1. Mme Lepic _____.

    a) s'occupe des affaires des locataires de l'immeuble
    b) ne s'intéresse pas aux nouveaux locataires
    c) ne connaît pas tous les locataires de l'immeuble

2. Mme Lepic préfère les locataires _____.

    a) qui sont très calmes
    b) qui sont discrets
    c) qui lui font des cadeaux

3. Les sociétés de nettoyage _____.

    a) répondent vite aux besoins des locataires
    b) vont peut-être un jour remplacer toutes les concierges
    c) font le ménage au 19, rue Danton

Mᵐᵉ Lepic est absente aujourd'hui. Elle ne fera pas son travail.
→ Si Mᵐᵉ Lepic n'*était* pas absente, elle **ferait** son travail.

Si Brigitte allait chez sa mère, elle **verrait** son oncle.

Si l'appartement était plus propre, je le **louerais**.

Arriveriez-vous plus souvent à l'heure, si vous aviez une montre ?

je	louer**ais**	**ferais**
tu	prendr**ais**	**saurais**
il / elle	aimer**ait**	**dirait**
nous	finir**ions**	**irions**
vous	parler**iez**	**seriez**
ils / elles	mettr**aient**	**auraient**

(voir tableaux des conjugaisons, p. 148)

EXERCICE 39

Exemple : Nous ne sortons pas nous promener. Il pleut.
S'il ne pleuvait pas, nous sortirions nous promener.

1. Je n'habite pas à Paris. Je ne vais pas au Musée du Louvre très souvent.

2. Vous n'avez pas beaucoup de temps. Que ferez-vous ?

3. M. et Mᵐᵉ Bonnefoy sont très discrets. Ils ne s'occupent pas de nos affaires.

4. Il n'y a pas d'ascenseur. Est-ce que vous montez par l'escalier ?

5. Tu déménages très loin. Nous ne pouvons plus nous voir souvent !

6. Paul voyage beaucoup. Il ne voit pas ses enfants le week-end.

7. Le chien aboie ! Avez-vous peur ?

8. L'immeuble est près de la gare. Nous entendons les trains.

EXERCICE 40

Exemples : Est-ce qu'il y a des trains _et_ des bus là où vous habitez maintenant ?
Non, il n'y a ni train ni bus là où nous habitons maintenant.

Est-ce que tu as envie d'aller au parc _ou_ de regarder un film ?
Je n'ai envie ni d'aller au parc ni de regarder un film.

1. Est-ce que la voiture était dans le garage ou devant la maison ?

2. Luc et Marie, avez-vous fait vos valises et réservé une chambre pour demain soir ?

3. Il fait –5°C ; est-ce que ton frère porte un manteau et des gants ?

4. Est-ce que les enfants se sont brossé les dents et se sont habillés ?

5. Hélène, est-ce que Mme Carron vous a offert du café ou du thé ?

6. Est-ce que la femme de ménage a nettoyé la table et lavé les assiettes ?

7. Te souviens-tu de son nom ou de son adresse ?

8. Est-ce que Georges a téléphoné à sa famille ou à ses amis depuis qu'il est parti ?

9. Est-ce que la concierge de l'immeuble est trop bavarde et trop curieuse ?

10. Est-ce que Christine et Paul ont visité la Tour Eiffel ou l'Arc de Triomphe ?

EXERCICE 41

Exemple : Après avoir dîné, M. et Mme Justin ont fait __*une promenade*__ dans le quartier.

1. Céline ! Ta chambre est vraiment sale. Il y a trop longtemps que tu n'as pas fait _____.

2. Est-ce que tu sais que Pierre fait _____ depuis qu'il a quatre ans ? Il a commencé par le football, bien sûr !

3. Marc et Rémi ont visité la Grèce l'été dernier. Ils ont fait _____.

4. Est-ce que vous faites _____ du club de tennis de Marville ?

5. À Rome, nous avons fait _____ des amis de Paolo.

6. Marie va faire _____ pour fêter le retour de Jean-Claude.

7. S'il faut faire _____ pour avoir les billets, je préfère ne pas aller au concert.

8. En allant chez le médecin, je m'arrêterai pour faire _____.

9. Jean est arrivé derrière nous et il a klaxonné. Il nous a fait _____ !

10. Je suis désolé, Mme Maurin, mais je ne peux pas faire tout ce _____ avant la fin de la journée.

11. Je fais toujours _____ mes gâteaux d'anniversaire par la pâtisserie du quartier.

12. Agnès a fait du ski pour la première fois et elle s'est fait _____ au bras.

la connaissance
faire
des courses
le ménage
mal
du sport
une promenade
une soirée
de l'auto-stop
classement
partie
peur
la queue

À LA RECHERCHE D'UN APPARTEMENT

APPARTEMENTS À LOUER

15e Métro Vaugirard. 3ème, 3-pièces, propre, grande cuisine. Libre imm. 850€/mois + charges. (1) 40-63-81-06

15e Métro Convention. 3-pièces, meublé, 5ème, est-ouest soleil, belle vue, 2 chambres, séjour, cuisine. Tout confort. Digicode. Libre à partir du 01/08. (1) 43-54-12-51

15e Quartier Motte-Picquet, grand duplex, 73m^2 3-pièces avec balcon au sud, 5ème, ascenseur, garage. 1 350€/mois ch. comprises. Libre 01/09 (1) 48-72-13-26 après 18h.

15e près Hôpital Pasteur. 3-pièces, 70m^2, au 2ème, sur jardin et rue, ascenseur, quartier calme, parking. Concierge. 1 300€/mois ch. comprises. (1) 43-22-08-30

15e Métro Vaugirard. 3-pièces, 1 chambre, grand salon + salle à manger. Balcon sud. 2ème. 1 200€/mois charges comprises. (1) 40-21-66-13

15e Grand 3-pièces ensoleillé. 96m^2, 4ème, ascenseur, séjour, 2 chambres, cuisine, placards. 1 100€/mois + 100€ de charges (1) 48-88-33-16

Catherine Perron est à Paris. Elle cherche un appartement depuis une semaine. Après avoir regardé les petites annonces dans le journal, elle en a choisi deux qui lui plaisaient. Elle téléphone à l'un des numéros.

Propriétaire A : Allô !

Catherine : Bonjour, monsieur. Je vous appelle au sujet de l'annonce …

Propriétaire A : Je suis désolé, madame, mais j'ai déjà loué l'appartement. J'ai donné les clés il y a une heure.

Catherine : Oh, c'est dommage ! Merci quand même. Au revoir, monsieur.

Catherine fait le deuxième numéro : un trois-pièces dans le 15ème arrondissement.[1]

Propriétaire B : Oui ?

Catherine : Bonjour, monsieur. J'ai vu votre annonce dans le journal. Est-ce que l'appartement est toujours disponible ?

Propriétaire B : Oui, mais il y a déjà quelques personnes qui l'ont vu et qui s'y intéressent.

Catherine : Combien fait le loyer ?

Propriétaire B : 1 200€, charges comprises.

[1] *arrondissement = partie de la ville de Paris*

Catherine :	Pouvez-vous me dire comment est l'appartement ?
Propriétaire B :	C'est un trois-pièces avec une chambre, un grand salon et une salle à manger. Il y a aussi un petit balcon. C'est au deuxième étage.
Catherine :	Ça a l'air intéressant.
Propriétaire B :	Voudriez-vous voir l'appartement ?
Catherine :	Oui, quand est-ce que je pourrais le visiter ?
Propriétaire B :	Disons, ce soir à 18h ? Ça vous convient ?
Catherine :	Oui, c'est bon. C'est à quelle adresse ?
Propriétaire B :	C'est au 3, rue Leriche. Savez-vous où c'est ?
Catherine :	Non, pas exactement. Pourriez-vous me dire comment y aller ?
Propriétaire B :	C'est près de la place de la Porte de Versailles. Prenez le métro direction Mairie d'Issy et descendez à la station Vaugirard. La rue Leriche est la deuxième rue à gauche quand vous sortez de la station. L'immeuble est en face de la pharmacie. Mon nom est Doret.
Catherine :	Très bien. Je pense que je trouverai. Alors, à ce soir, 18h.
Propriétaire B :	Au revoir, madame.

EXERCICE 42

1. Quand Catherine Perron a-t-elle commencé à regarder les petites annonces dans le journal ?

2. Pourquoi ne visitera-t-elle pas l'appartement du premier propriétaire à qui elle a téléphoné ?

3. Qu'a dit le second propriétaire à propos de l'appartement ?

4. À quelle heure le second propriétaire a-t-il dit que Catherine pourrait voir l'appartement ?

5. Quel moyen de transport prendra-t-elle pour aller le voir ?

EXERCICE 43

Exemple : __*Auriez*__ -vous l'heure, par hasard ?
— Oui, j'**ai** l'heure. Il est 15 heures.

1. _____-vous vous asseoir sur le canapé ?
   — Oui, je **veux** bien.

2. Est-ce qu'il y _____ un placard pour mettre les manteaux ?
   — Oui, il y en **a** un juste ici.

3. _____-vous louer un appartement au 15ème étage ?
   — Non, je n'**aimerais** pas cela ; c'est beaucoup trop haut !

4. Vous _____ signer ces papiers tout de suite.
   — D'accord. Où est-ce que je **dois** signer ?

5. Me _____-vous un tableau pour ma nouvelle salle de séjour ?
   — Oui, bien sûr. Je pourrais vous en **faire** un dans un mois.

6. Martin, _____-vous m'aider ?
   — Bien sûr que je **peux**, M. Resnais.

7. Ne _____-il pas téléphoner à Jean-Paul pour lui dire à quelle heure
   commence la soirée ?
   — Non, il ne **faut** pas lui dire ; c'est une surprise !

8. Ne _____-vous pas la nouvelle locataire du 3ème ?
   — Non, non, je **suis** son amie.

9. Ne _____-vous pas avoir un appartement dans le centre-ville ?
   — Non, je **préfère** ma maison à la campagne.

10. Excusez-moi, madame, _____-vous s'il y a une boulangerie dans le quartier ?
    — Non, je suis désolée, monsieur, mais je ne **sais** pas.

> Éric a dit à son frère : « Marie prendra l'avion pour aller à Genève. »
> → Il lui a dit que Marie **prendrait** l'avion pour aller à Genève.
>
> Véronique m'a demandé : « Est-ce que nous ferons du ski cet hiver ? »
> → Véronique m'a demandé si nous **ferions** du ski cet hiver.

EXERCICE 44

Exemple : « Caroline arrivera à 15 heures. »
Pierre a dit que ___*Caroline arriverait à 15 heures*___ .

1. « Vous pourrez emménager fin avril. »
   Le propriétaire nous a dit que _____.

2. « Christian et Martine apporteront des cartons. »
   Ma mère m'a dit que _____.

3. « Est-ce qu'Isabelle restera à Londres pendant longtemps ? »
   Les Robin nous ont demandé si _____.

4. « Vous devez vérifier le prix avant de réserver. »
   On m'a dit que _____.

5. « Serez-vous plus calmes si je vous donne du chocolat ? »
   Notre mère nous a demandé si _____.

6. « Nous vendrons notre appartement l'année prochaine. »
   J'ai dit à mon amie Sandrine que _____.

7. « Mme Renaud vous attendra jusqu'à 17h. »
   Vous m'avez dit que _____.

8. « Les Faure prendront l'appartement en dessous du vôtre. »
   Le propriétaire nous a dit que _____.

9. « Il n'y aura pas de chauffage avant le 1er novembre. »
   La secrétaire de l'agence m'a dit qu' _____.

10. « Qu'est-ce que Carole achètera pour la nouvelle maison d'Yvette ? »
    Ma cousine m'a demandé ce que _____.

Quand on cherche un appartement

Je vous téléphone au sujet de l'annonce.
Est-ce que l'appartement est encore disponible ?

Combien fait le loyer ?
Est-ce que l'appartement est grand ?
Combien de pièces y a-t-il ?
Est-ce que les charges sont comprises ?
Est-ce que le chauffage est électrique ou au gaz ?
Y a-t-il un parking, un garage ?

À quel étage se trouve l'appartement ?
Est-ce que c'est un quartier calme ?
Combien de locataires y a-t-il dans l'immeuble ?

Est-ce qu'il serait possible d'emménager avant
la fin du mois ?
Est-ce que vous acceptez les chiens ?

Quand est-ce que je pourrais le visiter ?
Pourriez-vous me donner l'adresse ?
Comment fait-on pour y aller ?

Merci pour les renseignements.

Noms :

le balcon	la curiosité
bruit	lumière
	résidence

les affaires
   charges

Verbes :

allumer	espérer
discuter	éteindre

Que feriez-vous si vous aviez plus d'argent ?
– J'achèterais un canapé pour ma salle
   de séjour.
   J'en profiterais pour faire partie d'un club.
   Je mettrais mes vieux fauteuils au grenier
   et les remplacerais par des nouveaux.

Où Sylvie Féraud habite-t-elle ?
– Elle habite dans un appartement à Paris.

Combien de pièces y a-t-il chez elle ?
– Il y a quatre pièces : deux chambres,
   une salle à manger et un salon.

Est-ce qu'elle paie un loyer tous les mois ?
– Oui, elle paie 950€ par mois.

Pourquoi Sylvie paie-t-elle un loyer ?
– Elle paie un loyer, parce qu'elle est
   locataire ; elle n'est pas propriétaire.

Est-ce que son immeuble est haut ?
– Non, il n'est pas très haut.

À quel étage se trouve son appartement ?
– Il est au 5ème.

Comment monte-t-elle à son appartement ?
– En général, elle prend l'ascenseur.
   Parfois, elle monte par l'escalier.

Est-ce que son immeuble est calme ?
– Non, il est un peu bruyant. Les voisins
   qui habitent au-dessus font beaucoup
   de bruit et ceux d'à côté ont un chien.

Est-ce que leur chien dérange Sylvie ?
– Oui, il la dérange la nuit, quand il
   aboie.

Comment est leur chien ?
– Il est gros et il a l'air méchant. Il fait
   peur à presque tout le monde.

Qu'est-ce que Sylvie a comme animal ?
– Elle n'en a pas. Elle n'a ni chien, ni chat.

Quelles factures reçoit-elle tous les mois ?
– Elle reçoit les factures de gaz et
   d'électricité.

Qui fait le ménage chez Sylvie ?
– Une femme de ménage vient chez elle
   pour le faire une fois par semaine.

Que fait la concierge de l'immeuble ?
– Elle s'occupe du courrier.
   Elle sort les poubelles.
   Elle nettoie les escaliers.

Où habite-t-elle ?
– Elle habite en bas, au rez-de-chaussée.

Expressions :
Est-ce que votre chien me fera du mal ?
Pas question !
C'est ton tour !
Le pauvre !
Enfin, ça dépend de vous !

CHAPITRE

Éric et Annie Simonot aiment beaucoup le jazz. Cette année, les deux Parisiens ont décidé d'aller au célèbre Festival de Jazz de Montreux pendant leurs vacances en Suisse.

Éric :   Annie, as-tu reçu la brochure du festival ?

Annie :   Oui, elle est là. Regarde ce qu'il y a à partir du 6 juillet.

Éric :   Attends … Ah ! Il y a un concert de *Rock and Blues* et un concert de musique latino-américaine le 6. Génial ! C'est juste le jour de notre arrivée. Et le 7 c'est du *Gospel*.

Annie :   Super ! Une collègue m'a dit qu'elle était allée au concert de *Gospel* l'année dernière, et qu'elle avait adoré.

Éric :   Tu es d'accord pour aller écouter du blues le 6 et du gospel le 7 ?

Annie :   Hum … deux concerts ? C'est génial !

Éric :   Voyons, est-ce qu'il y a un numéro de téléphone pour réserver des places de l'étranger ? … Ah ! Voilà.

Eric téléphone au numéro indiqué[1] dans la brochure.

Employée : Billeterie du Festival, bonjour.

Éric : Bonjour, madame. J'aimerais savoir s'il vous reste des places pour les concerts *Rock and Blues* et *Gospel* du 6 et du 7 juillet.

Employée : Un instant s'il vous plaît … Le 6 juillet au Stravinski Hall et le 7 au Miles Davis Hall. Oui, il y a encore des places. Combien de billets désirez-vous ?

Éric : Deux pour chaque concert.

Éric demande le prix des billets et donne son numéro de carte de crédit ainsi que[2] son adresse.

Employée : Parfait ! C'est fait. Je vous enverrai les billets. Vous devriez les avoir dans quelques jours.

Éric : Je vous remercie. Au revoir, madame !

[1] *indiqué = qui se trouve*
[2] *ainsi que = et aussi*

EXERCICE 45

1. D'où sont Éric et Annie Simonot ?

2. À quel événement assisteront-ils en Suisse pendant leurs vacances ?

3. Le combien arriveront-ils à Montreux ?

4. Qui avait parlé du concert de *Gospel* à Annie ?

5. Pour quels concerts Annie et Éric achètent-ils des billets ?

6. Quand recevront-ils leurs billets de concert ?

> J'ai fini de dîner à 20h. Pierre est arrivé à 20h30.
> → Quand Pierre est arrivé, j'**avais** déjà **fini** de dîner.
>
> Marie est arrivée à 19h55. J'ai fini de dîner à 20h.
> → Marie **était** déjà **arrivée** au moment où j'ai fini de dîner.

j'	**avais**	fait	**étais**	entré(e)
tu	**avais**	lu	**étais**	sorti(e)
il / elle	**avait**	pris	**était**	parti(e)
nous	**avions**	vu	**étions**	allé(e)s
vous	**aviez**	écrit	**étiez**	arrivé(e)s
ils / elles	**avaient**	fini	**étaient**	rentré(e)s

(voir tableaux des conjugaisons, p. 148)

EXERCICE 46

Exemple : Marie-Laure n'est pas venue avec nous au cinéma parce qu'elle __*avait*__ déjà __*vu*__ ce film. *(voir)*

1. Jean-Pierre et Nadine ont reçu les informations qu'ils _____ il y a quelques semaines. *(demander)*

2. Guy, je t'ai téléphoné pour savoir si tu _____ déjà _____ chez toi. *(rentrer)*

3. Avant de voir cette exposition, je n' _____ jamais _____ les tableaux de ce peintre. *(comprendre)*

4. Quand tu es arrivé, Bernard m' _____ déjà tout _____. *(raconter)*

5. Il y avait dix minutes que Béatrice _____ quand Paul m'a demandé où elle était. *(arriver)*

6. Au moment où j'ai parlé à Mme Deschamps, elle n' _____ pas encore _____ chez le médecin. *(aller)*

> *Jean-Louis :* « As-tu déjà assisté à un concert de jazz ? »
> Jean-Louis *a demandé* à Nadine **si elle avait déjà assisté à ...**
>
> *Nadine :* « J'ai déjà assisté à un concert de jazz. »
> Nadine *a répondu* **qu'elle avait déjà assisté à ...**

EXERCICE 47

Exemple : « À quelle heure est-ce que le spectacle a commencé ? »
Sébastien m'a demandé _**à quelle heure le spectacle avait commencé**_.

1. « Êtes-vous déjà allé en Suisse ? »
   Mon directeur m'a demandé _____.

2. « J'ai envoyé toutes mes invitations hier matin ! »
   Nathalie m'a dit _____.

3. « Est-ce que Christine a réservé ses billets pour l'exposition ? »
   Mes amis ont voulu savoir _____.

4. « Quand Lydie est-elle revenue d'Espagne ? »
   Ma cousine m'a demandé _____.

5. « Ta carte postale d'Italie n'est toujours pas arrivée. »
   Tu m'as dit _____.

6. « À quelle heure M. et Mme Véron ont-ils dû partir ? »
   La réceptionniste a voulu savoir _____.

7. « Je n'ai pas pu aller voir le film de 18h. »
   Catherine a dit _____.

8. « Qu'avez-vous fait dimanche soir ? »
   Patrice nous a demandé _____.

9. « Combien as-tu payé ta voiture ? »
   Nicolas t'a demandé _____.

10. « Avez-vous reçu la confirmation des billets d'avion ? »
    La secrétaire m'a demandé _____.

LE FESTIVAL DE JAZZ DE MONTREUX

Éric Simonot a rencontré un de ses collègues, Bertrand Foucher, à la cafétéria de leur société.

Bertrand : Alors, Éric, ça s'est bien passé tes vacances ? Où es-tu allé ?

Éric : Nous sommes allés en Suisse. C'était super ! Il y a quelques années, j'avais promis à Annie que nous irions au Festival de Jazz de Montreux. Eh bien, nous y sommes allés !

Bertrand : Ah oui ? Tu as aimé ?

Éric : Tu parles ! C'était incroyable ! Nous avons vu un concert de *Rock and Blues* et un autre de *Gospel*. Qu'est-ce que c'était bien !

Bertrand : Il y avait beaucoup de monde ?

Éric : Oh, oui, c'était plein ! Dis donc, quelle ambiance !

Bertrand : Oui, c'est ce que j'aime là-bas.

Éric : Mais, tu y es déjà allé ?

Bertrand : Tu sais, j'y vais presque tous les ans.

Éric : Tu ne m'avais pas dit que tu étais un mordu[1] de jazz.

---

[1] *un mordu = quelqu'un qui s'intéresse beaucoup à quelque chose*

Bertrand : Je crois qu'on n'a jamais eu l'occasion[2] d'en parler !

Éric : Ne me dis pas que tu es allé au premier !

Bertrand : Mais oui, j'y étais en 67 ! À cette époque-là, il y avait moins d'une dizaine de musiciens. Maintenant, il y en a plus d'un millier à l'affiche.

Éric : Quel style de musique est-ce que tu aimes ?

Bertrand : Tout ! Le jazz, le reggae, le blues, la musique africaine. Ce qu'il y a de bien au festival, c'est que tu peux entendre un peu de tout.

Éric : Dis-moi, quels musiciens célèbres est-ce que tu as vus ?

Bertrand : Il y a quelques années, j'ai vu Bill Evans et son trio, Ray Charles, Aretha Franklin, Ella Fitzgerald et Miles Davis.

Éric : Miles Davis ! Ah oui ! Comment tu as fait ? C'était difficile d'avoir des billets pour ses concerts !

Bertrand : Disons que j'ai eu de la chance ! Au fait, est-ce que vous avez pu assister aux conférences qu'organise le festival ? J'y suis allé l'année dernière et j'ai appris pas mal de[3] choses.

Éric : Non, malheureusement. Il n'y avait plus de place. La prochaine fois, peut-être !

Bertrand : Oui, tu verras, ça vaut le coup.

[2] *avoir l'occasion = pouvoir*
[3] *pas mal de = beaucoup de*

EXERCICE 48

1. Qu'ont pensé Éric et Annie Simonot du Festival de Jazz de Montreux ?

2. Quand Bertrand Foucher est-il allé au festival pour la première fois ?

3. Combien de musiciens y avait-il à l'époque ?

4. Et aujourd'hui ?

5. Quel genre de musique peut-on entendre au festival ?

6. Pour quel événement Éric et Annie n'avaient-ils pas pu trouver de places ?

EXERCICE 49

Exemple : Le spectacle de danse avait déjà commencé quand Pierre et Martine
___**sont arrivés**___ .

      a) arriveraient   **b) sont arrivés**   c) étaient arrivés

1. Carole m'a dit qu'elle _____ ce livre très rapidement.

      a) avait lu   b) a lu   c) lisait

2. Nous avions commandé douze billets et nous n'en _____ que dix.

      a) recevions   b) avons reçu   c) avions reçu

3. J' _____ une soirée « Charlie Chaplin » mais personne n'a pu venir !

      a) avait prévu   b) avais prévu   c) ai prévu

4. Il avait neigé toute la nuit et les routes _____ mauvaises.

      a) ont été   b) avaient été   c) étaient

5. Te souviens-tu qu'en juillet 1970, nous _____ à un concert de Bob Dylan ?

      a) étions allés   b) allions   c) sommes allés

6. Sylvain m'a dit qu'il n'_____ jamais _____ à l'opéra.

      a) est ... allé   b) était ... allée   c) était ... allé

7. Les Marchand _____ pendant dix minutes quand nous leur avons raconté nos aventures au Mexique.

      a) riaient   b) ont ri   c) avaient ri

8. J' _____ à M. Lambert de ne pas venir aujourd'hui, mais il est quand même venu.

      a) ai dit   b) avait dit   c) avais dit

9. Quand nous _____ Plácido Domingo pour la première fois, nous avons tout de suite adoré sa voix.

      a) avais entendu   b) avions entendu   c) avons entendu

10. Quand tu _____ dans son bureau, est-ce que Catherine était en train de parler au téléphone ?

      a) entrais   b) es entré   c) étais entré

EXERCICE 50

Exemple : Comment as-tu rencontré Jacques ?
   – Tu sais, c'était vraiment ___***par hasard***___ .

1. Vous serez combien de personnes ?
   – _____ ; si Philippe ne vient pas, nous serons cinq.

2. Tu crois qu'il y a du monde ce soir au restaurant ?
   – Regarde le parking ! Il y a _____ de voitures !

3. _____ ?
   – Lionel s'est coupé le pied sur un morceau de verre.

4. Est-ce que tu veux venir avec nous voir la nouvelle exposition au Musée des Beaux-Arts ?
   – Oh, oui, _____ !

5. Qui doit s'occuper des réservations cette fois-ci ?
   – C'est _____ !

6. Alors, comment as-tu trouvé ce nouveau film ?
   – Oh, pas bien du tout ; _____ !

7. Est-ce que vous aimez Maria Callas ?
   – Oui, beaucoup. Dites donc, _____ chante bien !

8. Je trouve que les billets pour ce concert sont un peu chers.
   – Oui, mais_____, quand même !

9. Alors, vous vous êtes bien amusés à la soirée de Patricia et Michel ?
   – Oui, on a passé _____.

10. Est-ce que vous savez quand on peut voir l'exposition Picasso ?
   – Oui, _____ 30 avril.

un bon moment

mon tour

à partir du

qu'est-ce qu'elle

par hasard

c'était vraiment ennuyeux

plein

qu'est-ce qui s'est passé

ça vaut le coup

ça dépend

c'est une bonne idée

Noms :

le compositeur   la compilation
    prêt   voix
    son

Verbes :

applaudir   prêter
se moquer   raconter
pleurer   sourire

Que fait Annie Simonot le week-end ?
– Elle va souvent au musée pour voir
  des expositions de peinture.

Est-ce qu'elle aime la peinture ?
– Oui, elle a même des œuvres d'art
  chez elle.

Quels sont ses autres loisirs ?
– Elle aime aller à l'opéra et voir des
  spectacles de danse.

Quels genres de films va-t-elle voir ?
– Quelquefois elle va voir des films
  policiers ou d'aventure. Mais elle
  préfère les films comiques.

Est-ce qu'il y a des films qu'elle n'aime pas ?
– Oui, elle n'aime ni les films d'horreur
  ni les films tristes.

Qu'y a-t-il à l'affiche en ce moment ?
– En ce moment, on passe un film italien.
  Une actrice italienne très connue joue
  dans ce film.

Annie l'a-t-elle vu ?
– Oui, elle l'a vu hier soir avec des amis.
  Et elle l'avait vu l'année dernière
  pendant son séjour à Rome.

Est-ce que ses amis ont aimé le film ?
– Oui, ils ont bien aimé. Qu'est-ce
  qu'ils ont ri !

Quel chanteur est en ce moment à l'Olympia ?
– Serge Lama. Il a écrit de nouvelles
  chansons qu'il va présenter.

Est-ce qu'il joue d'un instrument aussi ?
– Oui, il joue du piano.

Quand il chante, est-ce que la salle de concert est pleine ?
– Ah, oui ! Elle n'est jamais vide !

Comment peut-on écouter de la musique ?
– On peut en écouter avec une chaîne
  hi-fi ou un lecteur de CD.

Comment peut-on enregistrer de la musique / des films ?
– On peut en enregistrer avec un
  magnétophone / magnétoscope.

Si on veut voir un film à la maison, que peut-on faire ?
– On peut louer une vidéocassette.
  On peut emprunter une vidéo à un ami.

Pourquoi Éric achète-t-il des CD d'occasion ?
– Il en achète parce qu'ils valent moins
  cher que les neufs.

Expressions :
Qu'est-ce que c'est bien !
Ça s'est bien passé ?
Nous avons passé un bon moment !
Ça vaut le coup !
Incroyable !
Super !
Est-ce qu'il y avait beaucoup de gens ?
Tu parles ! Il y en avait plein !

CHAPITRE

C'est bientôt Noël. François Bertin cherche un cadeau pour sa fille Murielle. Il entre dans un magasin d'informatique.

M. Bertin : Bonjour, monsieur ! Je cherche un logiciel pour ma fille. Elle a 15 ans.

Le vendeur : Quel genre de logiciel ? Un jeu peut-être ?

M. Bertin : Non, pas de jeu. Elle en a déjà beaucoup ! J'aimerais un programme éducatif, quelque chose de passionnant aussi. Vous savez comment sont les enfants : après deux semaines ils en ont assez[1].

Le vendeur : Eh bien, nous venons juste de recevoir quelque chose qui devrait vous intéresser.

M. Bertin : Qu'est-ce que c'est ?

Le vendeur : C'est un logiciel pour apprendre les langues étrangères. Regardez ! Voici le programme d'anglais, par exemple. Vous voulez essayer ?

M. Bertin : Pourquoi pas ? Mais ça fait longtemps que j'ai appris l'anglais ! J'ai sûrement tout oublié !

---

[1] *en avoir assez = ne plus vouloir continuer*

Le vendeur : Ce n'est pas grave. C'est le programme pour débutants. Vous verrez, c'est facile ! N'importe qui peut le faire. Le nom et le niveau de l'utilisateur doivent être programmés au début de chaque leçon. Le logiciel détermine alors la durée de la leçon et sa difficulté.

M. Bertin : Pourquoi doit-on taper son nom ?

Le vendeur : Cela permet un dialogue entre l'ordinateur et l'utilisateur.

M. Bertin : Ah oui, je comprends.

Le vendeur : Puis, vous voyez plusieurs symboles et instructions qui apparaissent sur l'écran. La montre ici indique le temps disponible pour répondre à chaque question. Et le petit visage là, à gauche, change d'expression selon la réponse : il sourit, il pleure, il se met en colère, il s'endort.

M. Bertin : Ah, c'est amusant.

Le vendeur : Tenez ! Essayez, tapez votre nom, et choisissez un exercice. … Oui, comme ça. Maintenant, choisissez une question et, puis, tapez votre réponse !

M. Bertin : Voilà. Et ensuite ?

Le vendeur : Regardez ! Le petit visage sourit ! Ça veut dire que vous avez trouvé la bonne réponse. À la fin de l'exercice, votre score sera indiqué. Si vous décidez de continuer ou de refaire ce même exercice plus tard, le programme comparera vos résultats avec les précédents.

M. Bertin : C'est bien, ça ! Est-ce que vous avez une brochure ? Je voudrais en parler à ma femme.

Le vendeur : Oui, bien sûr ! Voilà ! Et appelez-moi si vous avez des questions.

EXERCICE 51

1. Pourquoi M. Bertin cherche-t-il un logiciel pour sa fille Murielle ?

2. Quel logiciel le vendeur lui propose-t-il ?

3. Qu'est-ce qui est déterminé par le logiciel quand on tape son nom et son niveau ?

4. Qu'est-ce qui est indiqué à la fin de chaque exercice du programme ?

5. Pourquoi M. Bertin n'achète-t-il pas le logiciel tout de suite ?

Des enfants de dix ans *utilisent* ces logiciels à l'école.
→ Ces logiciels **sont utilisés** *par* des enfants de dix ans à l'école.

Une famille anglaise *a loué* notre appartement.
→ Notre appartement **a été loué** *par* une famille anglaise.

Pierre et ses copains *mangeront* ce gâteau en cinq minutes !
→ Ce gâteau **sera mangé** *par* Pierre et ses copains en cinq minutes !

EXERCICE 52

Exemple : Trois personnes dans ma famille ont acheté ce CD.
   Ce CD <u>a été acheté</u> par trois personnes dans ma famille.

1. Boeing fabrique ces avions.

2. Maurice Chevalier a chanté cette chanson pour la première fois en 1946.

3. La même personne ne peut pas emprunter ce livre plusieurs fois.

4. Qui enregistrera le film policier qui passera à la télé demain soir ?

5. Gérard Depardieu a joué Cyrano dans le film de Jean-Paul Rappeneau.

6. Quand les voisins ont emménagé, ils ont dérangé tout le quartier.

7. Est-ce qu'un petit symbole indiquera la durée du jeu ?

8. Ce vendeur a très bien conseillé Gilbert quand il a acheté son magnétoscope.

9. Des professeurs viennent de louer l'appartement au-dessus de chez moi.

10. Nos services ne pourront pas réparer ces ordinateurs avant trois semaines.

Tout le monde peut utiliser cet ordinateur.
→ **N'importe qui** peut utiliser cet ordinateur.

_____

Avec cette clé, tu peux ouvrir **n'importe quelle** porte.
Tu ne peux pas acheter **n'importe quoi** pour tes parents !
Vous pouvez choisir **n'importe lesquels** !
Ne faites pas cet exercice **n'importe comment** !

EXERCICE 53

Exemple : Christine a dit qu'elle arriverait entre 19h et 20h. Mais je la connais bien ;
elle peut arriver **_n'importe quand_** !

1. On n'accepte pas _____ dans ce club. Les joueurs doivent être très bons.

2. On ne peut pas utiliser ce programme _____. Il faut lire les instructions.

3. Vincent ne nous dit jamais la même chose. Il raconte _____.

4. Est-ce que je peux commencer ce jeu _____ ou est-ce que je dois retourner au début ?

5. Avec ce billet d'avion, tu peux rentrer _____. La date de retour n'est pas indiquée.

6. Sur quel bouton est-ce que je dois appuyer ?
   – Sur _____. Ils ont tous la même fonction dans cette partie du programme.

7. Vous ne pouvez pas mettre _____ cassette dans ce magnétoscope !

8. Les bus s'arrêtent seulement aux arrêts de bus. Ils ne s'arrêtent pas _____.

EXERCICE 54

Exemple : Est-ce que tu sais quel film on **_passe_** au cinéma du quartier du parc ?

1. Je viens de lire un article sur la culture indienne. C'était _____ !

2. Aujourd'hui, M. Péron _____ du beau temps pour nettoyer son jardin.

3. Caroline se débrouille bien en anglais. Pourquoi est-elle avec le groupe des _____ ?

4. Ma sœur _____ des livres à la _____ et elle les perd toujours.

5. Vous savez, il serait très _____ pour mon travail d'apprendre ce nouveau programme de mise en page.

6. Les _____ au-dessus de chez moi sont très _____ ! Qu'est-ce que je dors mal !

7. Cette _____ a été exposée au Musée du Louvre pendant six mois.

8. Jusqu'à aujourd'hui, M. Lambert ne s'était jamais _____ devant ses employés. En général, il est très calme.

9. _____ ! Qu'est-ce que tu as fait ? Sur quel bouton est-ce que tu as appuyé ?

10. Catherine et Isabelle vont nous emmener dans un magasin d' _____ près de chez elles, où on vend des logiciels étrangers.

débutants

tiens

passionnant

œuvre

passe

emprunte

informatique

profite

bruyants

bibliothèque

utile

mis en colère

locataires

Pour inventer quelque chose de nouveau, faut-il toujours avoir des connaissances techniques ? Pas toujours ! Parfois, il suffit tout simplement d'observer la nature et de savoir adapter ses qualités particulières à notre vie de tous les jours. C'est exactement ce qu'a fait M. Georges de Mestral, ingénieur et inventeur suisse …

Tout a commencé un soir d'été dans les années 40. En revenant d'une promenade à la campagne, M. de Mestral a remarqué que de petits chardons[1] s'étaient accrochés à son pantalon et aux poils[2] de son chien. Cet homme curieux a tout de suite mis un des chardons sous le microscope et ce qu'il a vu l'a fasciné.

La surface extérieure du chardon était faite de petits crochets qui s'attachaient[3] aux fibres de ses vêtements. Et c'est tout à fait ce système de crochets et fibres dont M. de Mestral s'est inspiré pour inventer le Velcro®.

[1] *chardon = partie d'une plante*
[2] *poils = pour un animal, on ne dit pas « cheveux »*
[3] *s'attacher = s'accrocher*

Plusieurs années plus tard, son idée est devenue un succès mondial et, même, lunaire ! Le Velcro sur la lune ?! C'est une chose à laquelle M. de Mestral n'avait jamais pensé, mais, en fait, le Velcro fait maintenant partie de l'équipement des astronautes. Grâce à lui, plus de problèmes d'apesanteur[4] : un morceau de Velcro sous les bottes, un autre sur les paquets de nourriture[5] et plus rien ne s'envole dans la navette spatiale !

Sur les vestes et les gants des skieurs, sur les couches et les chaussures des enfants et également dans les hôpitaux, le petit chardon de la campagne suisse est présent partout dans notre vie quotidienne.

Au fait, savez-vous d'où vient le nom Velcro ? Il vient des mots **vel**ours et **cro**chet. Ingénieux, non ?

[4] *apesanteur = absence de gravité*
[5] *nourriture = fruits, légumes, viandes, etc.*

EXERCICE 55

1. Georges de Mestral _____.

    a) a voulu inventer quelque chose qui s'accroche aux poils des chiens
    b) a été fasciné par les petits crochets des chardons
    c) a inventé le microscope avec lequel on observe les chardons en Suisse

2. Aujourd'hui, le Velcro se trouve _____.

    a) sous les bottes des skieurs et des enfants
    b) sur les gants des skieurs et les couches des enfants
    c) sur les vestes des inventeurs

3. Le Velcro est particulièrement utile pour _____.

    a) la vie dans la campagne suisse
    b) le velours des astronautes
    c) le problème de l'absence de gravité dans la navette spatiale

> Le manuscrit a été envoyé hier. J'*en* étais responsable.
> → Le manuscrit **dont** j'étais responsable a été envoyé hier.
>
> Il y a deux mois, j'ai vu ce film. Tout le monde *en* parlait au bureau.
> → Il y a deux mois, j'ai vu le film **dont** tout le monde parlait au bureau.

EXERCICE 56

Exemple : Je cherche le logiciel de français. **J'en ai besoin**.
            Je cherche le logiciel de français <u>dont j'ai besoin</u>.

1. Le club de tennis se trouve en face de chez vous. Nous en faisions partie il y a cinq ans.

2. Ces enfants ont quatre et sept ans. Je m'en occupe pendant la semaine.

3. Jean a finalement pu acheter cet ordinateur. Il en avait toujours rêvé.

4. Ce travail devra être fini avant la fin de la semaine. Vous en êtes responsable.

5. C'est une situation très grave. Nous devons en parler tout de suite.

6. Ma cousine est maintenant directrice d'une société d'informatique. Vous avez fait sa connaissance l'année dernière.

7. Le meilleur lecteur CD sur le marché est en solde ! J'en ai envie depuis longtemps !

8. La dernière invention de la société Eurotech est déjà une réussite à l'étranger. Nous en avons discuté à la dernière conférence.

9. Le nouveau livre d'Umberto Eco n'est pas encore disponible en France. Nous en avons commandé un exemplaire en Italie.

10. La première fois qu'un homme a marché sur la lune était un événement extraordinaire ! Je m'en souviendrai toujours.

DANS LEQUEL ou AVEC LEQUEL ?

> Voici le musée. Le Parc Belair se trouve derrière ce musée.
> → Voici le musée **derrière lequel** se trouve le Parc Belair.
>
> M. Roux a présenté une invention. J'y avais pensé il y a dix ans !
> → M. Roux a présenté une invention **à laquelle** j'avais pensé il y a dix ans !

EXERCICE 57

Exemple : Gilbert habite encore la maison ___*dans laquelle*___ il est né.

        a) dans laquelle   b) auxquelles   c) dans lequel

1. Le bureau de Paul est près d'un magasin de chaussures à côté _____ il y a un petit restaurant grec.

    a) de laquelle   b) auquel   c) duquel

2. Avais-tu déjà lu l'annonce _____ j'ai répondu ?

    a) auxquelles   b) à laquelle   c) auquel

3. Nous sommes allés voir une exposition de peintures de Picasso _____ se trouvait le célèbre tableau « Guernica ».

    a) parmi lesquelles   b) avec lesquels   c) desquelles

4. La société _____ je travaillais vient de fermer.

    a) pour laquelle   b) de laquelle   c) dans laquelle

5. C'est un problème _____ je n'avais jamais pensé.

    a) duquel   b) lequel   c) auquel

6. Sylvie a deux amies _____ elle va en vacances tous les ans.

    a) avec lequels   b) avec lesquelles   c) pour lesquelles

7. Mon frère a acheté un sac _____ il peut mettre ses affaires de sport.

    a) avec lequel   b) dans lequel   c) duquel

8. Corinne nous apporte les documents _____ nous ne pouvons pas finir ce travail.

    a) auxquels   b) sans lesquels   c) avec lesquels

EXERCICE 58

Exemple : Est-ce que vous avez vu **l'intérieur** de sa maison ?
Non, nous sommes restés à __*l'extérieur*__ .

1. Ce matin, les vêtements de Bernard étaient _____. Regardez-les maintenant ;
ils sont très **sales** !

2. Albert pensait que ce jeu était **simple**, mais après avoir joué, il a trouvé que
c'était _____.

3. Nous habitons en ville dans un quartier très **bruyant**. Alors, le dimanche,
nous allons à la campagne où c'est très _____.

4. En regardant ce film, on ne sait pas si on doit **rire** ou _____.

5. Pour mes vacances à la montagne, Laurence m'a _____ ses skis et j'ai
emprunté l'équipement de ma sœur.

6. Ce candidat présente l'_____ d'avoir beaucoup d'expérience en
informatique, mais, malheureusement, il a l'**inconvénient** de ne pas être
bilingue.

7. Je me demande pourquoi ce message **apparaît** sur mon écran et quand j'appuie
sur ce bouton, il _____.

8. D'habitude, Marcel nous raconte des histoires très **drôles**. Mais hier, c'était
la première fois qu'il en avait une _____.

9. En général, cette salle de conférence est **vide**. Mais depuis deux semaines,
elle est _____ de cartons.

10. Quand j'étais étudiant, j'étais **locataire**. Maintenant que je travaille à temps
complet, je suis _____ d'une jolie petite maison.

Noms :

un avantage	une durée
exemplaire	navette
inconvénient	réussite
inventeur	

Verbes :

accrocher	imprimer
disparaître	indiquer
s'envoler	inventer

Un ordinateur peut-il être utilisé par n'importe qui ?
– Oui, n'importe quel utilisateur, même un débutant, peut en utiliser un.

Faut-il bien connaître l'informatique pour comprendre les jeux sur ordinateur ?
– Non, en général, on peut les comprendre à n'importe quel niveau.

Est-ce que les jeux sont longs ?
– Ça dépend du niveau du joueur et de la difficulté du jeu.

Est-ce que c'est compliqué de faire marcher un ordinateur ?
– Non, c'est très simple.

Que faut-il faire ?
– Il suffit d'appuyer sur un bouton et toutes les indications nécessaires apparaissent sur l'écran.

De quoi a-t-on besoin pour travailler avec un ordinateur ?
– On a besoin d'un clavier, d'une souris, d'un écran et d'une imprimante.

Comment s'appelle le journal dont M. Bertin a parlé hier ?
– Il s'appelle *Le Monde*.

Y a-t-il des articles intéressants dedans ?
– Oui, il y en a beaucoup. Selon M. Bertin, ce journal lui permet de savoir ce qui se passe partout dans le monde.

Est-ce un hebdomadaire ou un quotidien ?
– C'est un quotidien.

Est-ce qu'il l'achète tous les jours ?
– Non, il ne l'achète pas tous les jours. Il le reçoit chez lui. Il y est abonné.

Expressions :
Passionnant !
Qu'est-ce que c'est que ça ?
Tiens, mon ordinateur s'est planté !

CHAPITRE

10

Joëlle Fournier est dans son bureau. Elle regarde sa montre : 8h55. Elle commence à s'inquiéter. Sa collègue, Nadine Tessier, n'est toujours pas arrivée. Dans cinq minutes, elles doivent faire une présentation importante au directeur, M. Rondeau, et à plusieurs clients. Le téléphone sonne.

Joëlle : Joëlle Fournier, bonjour.

Nadine : Joëlle, c'est Nadine …

Joëlle : Nadine, mais où es-tu ? Il est presque 9h !

Nadine : Ah, si tu savais ! Je suis dans une cabine sur l'avenue de Wagram près de l'Étoile[1]. J'ai laissé ma voiture en double file pour pouvoir t'appeler. Il y a une circulation épouvantable !

Joëlle : Mais tu vas bien trouver une petite rue moins encombrée !

Nadine : Impossible ! Je suis coincée dans un embouteillage. Je n'ai pas bougé[2] depuis vingt minutes. C'est complètement bloqué !

[1] *Étoile = Place Charles de Gaulle*
[2] *bougé = avancé*

Joëlle :	Mais qu'est-ce qui se passe ?
Nadine :	Il y a des rues barrées et des policiers partout !
Joëlle :	Des policiers, pourquoi ?
Nadine :	Tu sais bien qu'il y a un sommet[3] international à Paris en ce moment.
Joëlle :	Ah, c'est vrai. J'avais oublié. Mais la réunion va commencer tout de suite. Débrouille-toi pour arriver le plus vite possible.
Nadine :	Écoute, je vois un parking souterrain juste devant moi. Je laisse ma voiture et je prends le métro. Si tout va bien, je serai là dans un quart d'heure.
Joëlle :	Fais de ton mieux ! J'expliquerai ton retard à M. Rondeau. Mais dépêche-toi !
Nadine :	Merci, Joëlle. J'arrive !

[3] *sommet = ici, conférence*

EXERCICE 59

1. Pourquoi Joëlle s'inquiète-t-elle ?

2. Pourquoi Nadine est-elle en retard ?

3. Que se passe-t-il à Paris ce jour-là ?

4. Que fera Nadine pour arriver rapidement au bureau ?

5. Dans combien de temps devrait-elle arriver au bureau ?

EXERCICE 60

Exemples : Ces chaussures sont faites à Milan. Les as-tu essayées ?
As-tu essayé les chaussures <u>faites</u> à Milan ?

Les enfants racontent des histoires. Les avez-vous déjà entendues ?
Avez-vous déjà entendu les histoires <u>racontées</u> par les enfants ?

1. Nous avons acheté du café brésilien au magasin d'import-export.
   L'avez-vous bu ?

2. Les voitures sont garées dans la rue. Le policier leur met-il des contraventions ?

3. Le tableau est accroché au mur de la salle à manger. Savez-vous d'où il vient ?

4. Daniel a pris des photos à Bordeaux. Les avez-vous regardées ?

5. On peut faire de la musique par ordinateur. En avez-vous déjà entendu ?

6. Cette société fabrique des montres. Sont-elles de bonne qualité ?

7. On fait des salades avec les légumes du jardin. Les aimez-vous ?

8. M. Maurin a signé les cartes d'invitation. Est-ce que la secrétaire les a envoyées ?

9. Ce livre est écrit par des banquiers de Wall Street. L'avez-vous lu ?

10. Julie a commandé des logiciels. Sont-ils arrivés ?

EXERCICE 61

Exemple : Ne vous inquiétez pas ; ce n'est ___***pas du tout***___ votre responsabilité. C'est celle de votre collègue Gérard.

1. Jean-Michel n'est _____ parti. Il partira quand il y aura moins de circulation.

2. Même s'il n'y a _____, je peux laisser un message, n'est-ce pas ?

3. Gabrielle n'oublie _____ d'appeler sa mère quand elle reste tard chez ses amies.

4. Pourquoi est-ce que Mme Lemaire n'achète de l'essence _____ dans les stations-service Total ?

5. Quand Nicolas a ouvert la boîte, il n'y avait _____ à l'intérieur. Elle était vide !

6. Vous n'avez vu _____ voiture devant la maison des Lambert ?
   – Non, pas une seule !

7. On ne trouve de stations-service _____ sur cette route !

8. Depuis la semaine dernière, on n'a _____ le droit de se garer dans cette rue. Avant, c'était possible.

9. Je ne sais jouer _____ du piano _____ du violon.

10. Je ne prends _____ toujours mes vacances en juillet. Cette année, je pars au mois d'août.

plus
jamais
pas encore
aucune
pas
nulle part
pas du tout
personne
que
ni ... ni ...
rien

EXERCICE 62

Exemple : Nous n'avons pas gardé notre vieux **sofa** marron.
Ma femme a acheté un **_canapé_** vert.

1. Le patron du magasin de photos m'a téléphoné **au sujet de** mon appareil. Mais il n'a rien dit _____ de la pellicule que tu y avais laissée.

2. Pouvez-vous me **montrer** où est le Musée Rodin ? Ce n'est pas très bien _____ sur ce plan.

3. Tu m'as dit que mes gants étaient **à l'intérieur** des poches de ma veste. Mais il n'y a rien _____ !

4. Mme Lafarge aime beaucoup les **peintures** de Monet. Elle a un de ses _____ dans sa salle de séjour.

5. **Tous les matins** après son café, mon grand-père fait une promenade avec son chien. Ils font ça _____, même s'il pleut !

6. Est-ce qu'il y avait **beaucoup** de personnes âgées au mariage de Charles et Hélène ? – Pas du tout ! Il y avait _____ jeunes !

7. Les employés ont été **autorisés** à partir à 14h. Avant un long week-end, notre patron nous _____ souvent cela.

8. On **ne peut pas** s'arrêter ici. Il y a un panneau à 10 mètres qui indique qu'on _____ de le faire.

9. Tu sais, ma voiture ne m'a pas **coûté** cher. Je pense que la tienne _____ plus que la mienne.

10. Qui doit **nettoyer** la maison aujourd'hui ? – Pas moi, c'est moi qui ai _____ la semaine dernière !

n'a pas le droit
vaut
tableaux
canapé
fait le ménage
quotidiennement
dedans
permet
plein de
à propos
indiqué

SAVOIR SE GARER ... EST UN ART !

M. Moreau vient de garer sa voiture quand, tout à coup, il entend ... Crac ! ... Bing ! ... BOUM !!! Il se retourne et voit avec horreur qu'une voiture a embouti la sienne. Il se précipite pour voir ce qui est arrivé.

M. Moreau : Oh, mon Dieu ! Vous avez vu ce que vous avez fait ? C'est une voiture toute neuve !

Jeune homme : Ah, oui ? Je n'ai pas trop fait attention.

M. Moreau : Vous n'avez pas fait attention ?! Savoir se garer, c'est quelque chose qu'on apprend à l'auto-école, non ? Regardez l'avant de ma voiture ! Vous l'avez complètement détruit !

Jeune homme : N'exagérez pas, quand même, monsieur ! Il n'y a que le phare de cassé. Ce n'est pas très grave. Regardez la mienne ; elle est dans un plus mauvais état que la vôtre !

M. Moreau : Ce n'est peut-être pas très grave pour vous, mais regardez la peinture ! Elle est tout abîmée ! Ça va vous coûter cher, vous savez !

Jeune homme : Écoutez, monsieur, mon copain Étienne fait de la réparation le week-end. Il fait vraiment du bon travail. Il pourrait vous faire ça en quelques heures.

M. Moreau : Vous vous moquez de moi ? Il faut faire un constat d'assurance tout de suite ! Quel est votre nom ?

Jeune homme :   Euh ... Hervé Pradel.

M. Moreau :   Pradel ... Pradel ... ce nom me dit quelque chose ... Connaissez-vous Philippe Moreau ?

Jeune homme :   Oui, oui ; c'est un copain à moi. Vous voyez, c'est sa voiture ! Il ne va pas être content quand il verra l'état de sa bagnole.

M. Moreau :   *Sa* bagnole ? ... Mais c'est la voiture que j'ai prêté à mon fils, Philippe Moreau ! Qu'est-ce qui lui est arrivé ? Je ne la reconnais presque plus !

Jeune homme :   Oh là là ... vous êtes M. Moreau ?

M. Moreau :   C'est exact ! Mon fils m'avait promis de ne prêter cette voiture à personne ! Et surtout pas à vous, Pradel ! Je me souviens bien de vous. C'est vous qui êtes venu faire une fête chez moi l'année dernière pendant que j'étais en vacances, n'est-ce pas ?

Jeune homme :   Euh ... c'est possible ... je ne me rap ...

M. Moreau :   Vous me devez 150€ pour la réparation du lecteur de CD que vous avez cassé et 150€ pour le remplacement du magnétoscope que vous avez entièrement démoli ! Et je vous soupçonne aussi d'avoir causé l'incendie qui ne m'a laissé que la moitié de mon garage !

Jeune homme :   Écoutez, M. Moreau, je peux tout vous expliquer. Je ...

M. Moreau :   Ah, non ! Ça suffit comme ça ! D'ailleurs, rendez-moi immédiatement les clés de cette voiture ! ... Écoutez, Pradel. J'ai bientôt 60 ans. Je n'ai sûrement pas plus d'une vingtaine d'années encore à vivre. Je vous en supplie : Laissez-moi tranquille pendant le peu de temps qu'il me reste !

Jeune homme :   Alors, pas la peine de vous demander la permission de sortir avec votre fille, je suppose ...

EXERCICE 63

1.   Pourquoi M. Moreau s'est-il mis en colère ?
2.   Qu'avait promis Philippe Moreau à son père ?
3.   De quoi Hervé Pradel est-il soupçonné par M. Moreau ?

> **Aller** à l'étranger est toujours intéressant.
>
> **Savoir parler** plusieurs langues est très utile.

EXERCICE 64

Exemple : __*Visiter*__ Paris au printemps vous plaira.

1. _____ des livres à la bibliothèque permet de lire beaucoup.

2. Est-ce que vous pensez que _____ est bon pour la santé ?

3. _____ en double file est interdit.

4. Est-ce que _____ de voiture tous les ans est nécessaire ?

5. _____ en voiture permet de s'arrêter où on veut.

6. _____ dans le centre-ville est si pratique.
   Tous les magasins sont près de chez moi !

7. _____ ces médicaments avant ou après le repas n'est pas important.

8. Ne pas _____ utiliser un ordinateur est un inconvénient aujourd'hui.

9. _____ sans ceinture de sécurité sur l'autoroute est dangereux.

10. _____ un passeport est nécessaire si on veut voyager à l'étranger.

changer
savoir
se garer
habiter
visiter
prendre
avoir
voyager
rouler
fumer
emprunter

EXERCICE 65

Exemple : __*Au début*__ du film, on voit un homme qui marche seul dans la rue.

        a) Pendant   **b) Au début**   c) Enfin

1. Pour faire cet exercice, il faut _____ lire l'exemple.

    a) tout à coup   b) quelquefois   c) d'abord

2. Quand je suis arrivé à la gare, je suis _____ monté dans le train.

    a) tout de suite   b) tout à coup   c) à l'heure

3. Après avoir attendu presqu'un mois, nous avons _____ reçu nos billets pour le concert du week-end prochain.

    a) le lendemain   b) finalement   c) en même temps

4. Jean-Michel m'a dit qu'un jour, il a eu une contravention et que _____ sa femme en a eu une aussi !

    a) quelquefois   b) tout à coup   c) le lendemain

5. Patrice et Murielle ont dit la même chose _____ !

    a) tout de suite   b) à l'heure   c) en même temps

6. En général, je fais le plein à la station-service _____.

    a) quelquefois   b) une fois par semaine   c) le lendemain

7. C'est grâce à Stéphanie que j'ai pu arriver _____ à mon rendez-vous.

    a) à l'heure   b) tout de suite   c) d'abord

8. M. Lambert pense que les réunions avec le chef du marketing seront _____.

    a) le lendemain   b) hebdomadaires   c) quelquefois

9. J'étais en train de discuter avec ma voisine quand _____ nous avons entendu un bruit dans le couloir.

    a) tout à coup   b) tout de suite   c) enfin

10. _____, la fille de Mme Romain passe par la pâtisserie avant d'aller chez sa mère.

    a) Finalement   b) Quelquefois   c) D'abord

EXERCICE 66

Exemple : Si on prend cette rue, on est en ___***sens interdit***___ .

1. Ici, on n'a pas le droit de se garer ; le _____ est interdit.

2. Ce parking est _____.

3. La _____ est limitée à 50 km/h.

4. L'_____ s'arrête ici.

5. Ici, il est interdit de _____.

Noms :

le camion	la mémoire
coffre	vitre
pneu	

Verbes :

baisser	reconnaître
causer	remonter
devoir (de l'argent)	se retourner
se précipiter	soupçonner
se rappeler	tourner

Est-ce que vous avez garé votre voiture dans la rue ?
– Non, je ne l'ai pas garée dans la rue ;
   il n'y avait de place nulle part.

Où est garée votre voiture, alors ?
– Elle est garée dans un parking souterrain.

Est-ce que le stationnement y est gratuit ?
– Non, il est payant.

Est-ce qu'il y a un panneau indiquant que le stationnement est interdit ici ?
– Oui, il y en a un quelque part.
– Non, il n'y en a aucun.

Pourquoi le policier vous a-t-il donné une contravention ?
– Il m'a donné une contravention, parce que je ne me suis pas arrêté au feu rouge.

A-t-on le droit de rouler sans ceinture de sécurité ?
– Non, rouler sans ceinture n'est pas autorisé. Il est obligatoire de l'attacher.

À quelle heure partez-vous le matin ?
– Je pars à 7h. C'est l'heure de pointe et la circulation est épouvantable.

Où va-t-on pour faire le plein quand on a besoin d'essence ?
– On va à la station-service.

Est-ce que vous remplissez toujours le réservoir entier ?
– Non, parfois je ne mets que la moitié.

Est-ce que M. Moreau a eu un accident ?
– Oui, sa voiture est en très mauvais état.

Qu'est-ce qui est arrivé ?
– Une voiture lui est rentré dedans, et tout l'avant de sa voiture est embouti.

Qu'est-ce qui est cassé ?
– Les phares sont cassés et la peinture est aussi abîmée.

Est-ce qu'il a appelé les pompiers et une ambulance ?
– Non, il n'a pas appelé les pompiers, parce qu'il n'y avait pas d'incendie. Il n'a pas eu besoin d'une ambulance non plus, parce qu'il n'était pas blessé.

Est-ce qu'il fera un constat d'accident ?
– Oui, il en fera sûrement un.

Expressions :
Venez le plus vite possible !
Fais de ton mieux !
Attention !
Ce n'est pas la peine !
Je vous en supplie.
Laissez-moi tranquille !

CHAPITRE

11

Pascal Auger passe la matinée au marché aux puces. Là, on peut presque tout acheter : meubles anciens, vaisselle, vêtements, disques et livres d'occasion, bijoux anciens, etc. Pascal, qui collectionne les vieilles montres, s'arrête devant un stand et s'adresse au marchand.

Pascal : Vous demandez combien pour cette montre ?

Le marchand : 150€. Elle date des années 30.

Pascal : Vous blaguez ! Elle ne marche même pas ! Si elle marchait, elle vaudrait peut-être ce prix-là. Je vous propose 75.

Le marchand : 75€ ? Ce n'est pas sérieux. Je vous assure que cette montre est exceptionnelle. 100€ !

Pascal : 100 ? Pas question ! Avec les frais[1] de réparation … Je vous donne 80€.

Le marchand : 90, et c'est mon dernier mot !

Pascal : 90 … Bon, d'accord !

[1] *frais = ce qu'on doit payer*

Pascal est content de sa bonne affaire. Normalement, une montre comme ça coûterait deux fois plus cher. Il met la montre dans sa poche et continue sa promenade parmi les stands. Plus loin, il voit une jeune femme qui vend des portefeuilles.

> *La marchande :* Regardez, monsieur, ils sont tout en cuir, faits à la main. 12€.
>
> *Pascal :* Non, merci. Je n'en ai pas besoin.
>
> *La marchande :* Allez, 10€ ! On a toujours besoin d'un portefeuille !

« C'est vrai, » se dit Pascal. « Depuis que j'ai perdu le mien, je dois garder mon argent et tous mes papiers dans mes poches. »

> *Pascal :* Je vous donne 8€, pas plus.
>
> *La marchande :* Vendu ! Je vous félicite, vous avez fait une excellente affaire !
>
> *Pascal :* Voilà 8€.
>
> *La marchande :* Merci, monsieur.

Pascal paye et s'en va. Ensuite, il arrive devant un stand de crêpes. Il en commande une, cherche de l'argent dans sa poche, mais il ne trouve que ses papiers, une vieille montre et un portefeuille neuf vide !

EXERCICE 67

1. Où Pascal Auger passe-t-il la matinée ?

2. Que trouve-t-on au marché aux puces ?

3. À quoi s'intéresse Pascal ?

4. Pourquoi Pascal fait-il une bonne affaire en achetant la montre ?

5. Pourquoi Pascal n'a-t-il plus de portefeuille ?

6. Combien d'argent lui reste-t-il après sa visite au marché aux puces ?

FAMILLES DE MOTS

EXERCICE 68

Exemple : Les Lambert vont __***déménager***__ le week-end prochain. Ils prendront sûrement une société de **déménagement**.

1. Jean-Paul n'a presque rien _____ ce mois-ci. Il n'a fait que quelques **dépenses** au supermarché et au magasin de disques, bien sûr !

2. Je ne sais pas si mon père se souvient toujours de sa **promesse**. Il m'avait _____ de me donner de vieilles photos de mes grands-parents.

3. Je ne comprends pas comment tu peux supporter la _____ ici ! Dans la rue où j'habite, il y a beaucoup moins de voitures qui **circulent**. C'est calme.

4. Mon collègue Alain _____ beaucoup. Presque toutes les semaines, il a une nouvelle **plaisanterie** à me raconter.

5. Je pense que tu t' _____ trop, Fabien. Tout le monde a des moments d'**inquiétude**, mais seulement quand c'est nécessaire !

6. Je n'ai pas pu _____ ce tableau au mur. Il n'y avait ni **crochets** ni clous !

7. L'immeuble du 2, rue Simon a été _____ en quelques minutes. C'est une entreprise de **démolition** qui s'en est occupé.

8. Vous n'avez pas **payé** le parking ! Je ne savais pas que c'était _____.

9. J'ai _____ à mes enfants d'aller au cinéma avec leurs copains. Ça fait plus d'un mois qu'ils me demandaient la **permission** d'y aller.

10. Je n'ai vu aucun panneau d'**interdiction** de stationner. Est-ce que vous savez si c'est _____ ou autorisé ?

EXERCICE 69

Exemple : Je vais passer le week-end à la mer. Qu'est-ce que tu **_en penses_** ?
Tu veux venir avec moi ?

1. Je m'inquiète beaucoup au sujet de la santé
    d'Eric.
    – _____ ! Dans une semaine, il sera remis.

2. Camille ! Martin ! J' _____ ! Arrêtez de faire du
    bruit ! Je suis malade et j'aimerais bien dormir !

3. Les ingénieurs n'ont pas encore fini ?! Savez-
    vous où ils _____ ?

4. Chaque fois qu'on dit à Thierry que ses cheveux
    sont trop longs, il nous répond qu'il _____.

5. Sophie, je _____ ! Aide-moi à finir ce travail !

6. Hervé a cassé la fenêtre du garage, mais, je
    _____. Son père a dit qu'il la ferait réparer.

n'en ai jamais entendu parler
en ai assez
en sont
s'en va
en penses
ne t'en fais pas
t'en supplie
s'en moque
ne lui en veux pas
vous en prie
en ai entendu dire

7. Connaissez-vous la cybernétique ?
    – Non, je _____. Qui est-ce ?

8. Daniel sera-t-il en Grèce tout l'été ?
    – Non, il _____ le 1er juillet et rentre le 15 août.

9. Est-ce que vous avez vu le film *Le Marchand de bijoux* ?
    – Non, je ne l'ai pas vu, mais j' _____ du bien.

10. Est-ce que je peux prendre cette chaise ?
    – Mais oui, je _____.

Un coup de feu éclate et 7 000 marathoniens prennent le départ. Un spectateur de marathon traditionnel n'en croirait pas ses yeux : des ballerines, des clowns et des hommes de Cro-Magnon parmi les coureurs ! Mais ici, à Pauillac, près de Bordeaux, il n'est pas surprenant de voir ces sportifs qui, tous les ans, début septembre, se déguisent pour le Marathon des Châteaux du Médoc et des Graves.

Courir 42 km habillé en crocodile n'est pas évident. Mais peu importe ! Plus de la moitié des coureurs participe également au concours de déguisements jugé par les enfants de Pauillac. Imaginez-vous courir entre un lapin rose et Jules César !

C'est un des charmes de ce marathon qui traverse les vignobles du Bordelais et passe par plus de trente-cinq châteaux comme, par exemple, le Château Mouton-Rothschild et le Château Latour. Les coureurs s'arrêtent non seulement pour admirer l'architecture, mais aussi pour déguster le vin d'une douzaine de châteaux. Incroyable, mais vrai ! Les marathoniens boivent du vin pendant la course ! Les « vrais » sportifs, eux, bien sûr, ne boiront que de l'eau.

Tout se passe donc dans une ambiance de fête, au son d'orchestres bordelais, espagnols et africains, entre autres, installés le long du marathon. Tout le monde chante et rit et les coureurs essaient d'oublier la fatigue et les derniers kilomètres qui leur restent.

Au moment où ils désespèrent de finir la course, les coureurs découvrent au bord de la route une invitation difficile à refuser : un bar à huîtres ! Servies avec un verre de bordeaux blanc, comme du Mouton Cadet, les huîtres glissent dans les gorges des coureurs épuisés[1]. Après cela, ils repartent pleins d'énergie, prêts à dépasser[2] maintenant le viking et l'homme-grenouille qu'ils suivent depuis 2 km !

Ce marathon n'est pas surnommé « le marathon le plus long du monde » pour rien. Un bon vivant aurait du mal à résister aux tentations offertes par cette course. Mais pour ceux qui ne se laissent pas distraire par le paysage, la musique, les déguisements, le vin et les huîtres, il reste l'espoir de gagner le 1er prix : son poids en vin !

[1] épuisé = très fatigué
[2] dépasser = doubler

EXERCICE 70

1. Un peu moins de cinquante pour cent des coureurs du Marathon des Châteaux du Médoc et des Graves _____.

   a) ne dégustent aucun vin
   b) ne terminent pas la course
   c) ne se déguisent pas

2. Le concours de déguisements _____.

   a) offre au gagnant du premier prix son poids en vin
   b) a lieu trois jours avant le marathon
   c) est jugé par les jeunes de la région

3. Le Marathon des Châteaux du Médoc et des Graves _____.

   a) n'attire que des coureurs sérieux
   b) est, sans doute, le meilleur marathon pour les bons vivants
   c) offre une dégustation d'huîtres et de champagne

> Et **toi**, Pascal, veux-tu venir avec nous ?
>
> **Moi**, je pense que je vais rester à la maison.

EXERCICE 71

Exemple : Est-ce que tu as les mêmes chaussures que Gilbert ?
   – Oui, mais __*lui*__, il a acheté les siennes en Angleterre.

1. Est-ce que vous faites souvent du jogging ?
   – _____ ? Bien sûr ! Nous en faisons tous les matins.

2. Je ne me souviens pas du nom de cet acteur !
   – Les noms, _____, tu les oublies toujours !

3. Est-ce que M. et Mme Lemoine aiment la musique classique ?
   – La musique classique ? _____, ils adorent cela.

4. On devrait donner les clés de la maison à Vincent avant de partir, n'est-ce pas ?
   – À _____, pas question ! Mais à sa sœur, pas de problème.

5. Est-ce que vous et votre sœur collectionnez la vaisselle ancienne ?
   – Oui, _____, je collectionne les verres et _____, les assiettes.

6. Jean-Claude et Xavier vous avaient-ils dit qu'ils ne pouvaient pas venir ?
   – Non, pas du tout ! Ils ne m'ont rien dit, à _____ !

7. Les filles iront-elles avec nous au marché aux puces ?
   – Non, _____, vous savez, elles n'aiment pas le bric-à- brac !

8. Martin a gagné un vélo ! Est-ce que vos enfants aussi ont gagné quelque chose ?
   – Pas cette fois-ci ! _____, ils n'ont pas eu beaucoup de chance !

9. Est-ce que Sylvie va se déguiser pour ta soirée ?
   – Bien sûr ! _____, elle adore faire ça.

10. Est-ce que je devrais téléphoner à Pierre pour savoir s'il est rentré ?
    – Dis donc, attends encore un peu, quand même ! _____, tu t'inquiètes trop ! Il ne t'a pas dit, _____, qu'il t'appellerait ?

EXERCICE 72

Exemple : Après son accident, Pascal a eu beaucoup de __**frais**__ de réparation pour sa voiture.

1. Où as-tu trouvé cette table ? Elle est magnifique !
   – Je l'ai achetée chez l'_____ qui est Place St-François.

2. _____ nous sommes entrés, M. Robin était en train de nous laisser un message.

3. À la fin de l'été, il y a beaucoup de soldes dans les magasins. On peut faire de _____.

4. Il ne va pas pleuvoir aujourd'hui, n'est-ce pas ?
   – Non, _____ de prendre votre parapluie.

5. Quand Benoît a montré à Étienne la voiture qu'il venait d'acheter, Étienne _____ de lui parce que la voiture était vraiment vieille.

6. Oh là là ! _____ ! Je vais aller chez le voisin et lui dire d'arrêter ce bruit. C'est terrible !

7. _____ si ton appareil-photo ne marche pas. Je prendrai le mien !

8. Avant de traverser la route, il faut _____ et regarder des deux côtés.

9. Mon amie Simone ne peut rien acheter sans _____. Elle aime discuter de tout – même des prix !

10. En rentrant à la maison hier soir, M. et Mme Mauret ont vu des lapins _____ la route.

ce n'est pas la peine
marchander
peu importe
au bord de
frais
au moment où
bonnes affaires
antiquaire
faire attention
ça suffit
s'est moqué

Noms :

le bon vivant	la moule
bric-à-brac	
espoir	
fruit de mer	
or	

Verbes :

découvrir	juger
désespérer	peser
se distraire	plaisanter
glisser	traverser

Où avez-vous acheté ces bijoux anciens ?
– Je les ai achetés au marché aux puces.

Combien avez-vous dépensé ?
– Pas beaucoup. J'ai pu marchander et j'ai fait une bonne affaire.

Comment était le marchand ?
– Il était très honnête et avait l'air sérieux.

Qu'est-ce qu'il vous a dit à propos du collier et de la bague ?
– Il a dit qu'ils étaient en argent, qu'ils étaient rares et qu'ils dataient de 1900.

De quoi Pascal Auger fait-il collection ?
– Il fait collection de montres.

Est-ce que vous collectionnez aussi quelque chose ?
– Oui, je collectionne les timbres et la vaisselle ancienne.

Est-ce que c'est vrai que vous avez pris le départ du marathon de Paris ?
– Oui, ce n'est pas une blague ! Je suis même arrivé à le finir.

Que vous ont dit votre famille et vos amis ?
– Mes amis et ma famille m'ont félicité. Et ils m'ont surnommé « le coureur de Paris » !

Avez-vous entendu parler du Marathon des Châteaux du Médoc et des Graves ?
– Oui, j'ai entendu dire que les coureurs pouvaient participer à un concours de déguisement, qu'ils dégustaient du vin et qu'ils mangeaient aussi des huîtres !

Expressions :
Ne lui en veux pas !
Où en est-elle ?
Je vous assure …
Ne t'en fais pas.
Ce n'est pas évident.
Peu importe.
Je n'en crois pas mes yeux !

CHAPITRE

12

Il est 20h. Annie Simonot et Paul Varrot sortent de l'école Berlitz et se dirigent vers la station de métro …

Mme Simonot :	Alors, vous aimez les cours ?
M. Varrot :	Oui, je fais beaucoup de progrès.
Mme Simonot :	Moi aussi. Je trouve que les langues sont tellement importantes dans la vie.
M. Varrot :	Tiens ! Je pensais justement que ma fille Christine devrait commencer à apprendre l'anglais.
Mme Simonot :	Quel âge a-t-elle ?
M. Varrot :	Neuf ans.
Mme Simonot :	Neuf ans ! Mais vous ne trouvez pas que c'est trop jeune ?
M. Varrot :	Non, pas du tout. Je pense que c'est l'âge idéal. Les enfants sont ouverts à tout ce qui est nouveau à cet âge-là, et ils n'ont pas peur de faire des fautes. À mon avis, l'anglais devrait être obligatoire dans toutes les écoles primaires.

Mme Simonot :	Alors, qu'est-ce que vous allez faire pour Christine ?
M. Varrot :	Je vais chercher quelqu'un qui lui donnera des cours à la maison une ou deux fois par semaine.
Mme Simonot :	Deux fois par semaine ! Mais ce n'est pas sérieux ! Avec une enfant de neuf ans, il vaudrait mieux avoir quelqu'un à plein temps. Avez-vous déjà pensé à prendre une jeune fille au pair ?
M. Varrot :	Une jeune fille au pair … hum … C'est une possibilité. Je dois me renseigner. Mais je pense que c'est cher.
Mme Simonot :	Allez, ne vous inquiétez pas. Après tout, votre fille n'a que neuf ans. Elle a du temps devant elle. De toute façon, elle commencera l'anglais à l'école à douze ans.
M. Varrot :	Ah, l'école … J'ai fait dix ans d'anglais et je n'arrive toujours pas à commander un repas dans un restaurant !
Mme Simonot :	Oh, vous savez, ça a bien changé depuis.

EXERCICE 73

1. D'où sortent M. Varrot et Mme Simonot ?

2. Selon M. Varrot, que devrait faire sa fille Christine ?

3. Pourquoi pense-t-il que Christine a l'âge idéal pour apprendre une langue ?

4. Que fera-t-il pour lui donner des leçons d'anglais ?

5. Que conseille Mme Simonot comme moyen pour apprendre une langue ?

6. Pourquoi M. Varrot n'est-il pas content des études de langues qu'il a faites à l'école ?

EXERCICE 74

Lundi 1ᵉʳ mai. « Dans une semaine exactement, nous **_serons_** (être) à Paris ! »

_____ (se dire) Mary Marshall. Ça _____ (faire) des années que Mary et son mari

Richard _____ (parler) d'aller en France. Cette année, c'_____ (être) enfin

possible.

Il y _____ (avoir) un mois, Richard _____ (acheter) deux billets d'avion et

_____ (réserver) une chambre d'hôtel à Paris. Ils _____ (décider) qu'après

quelques jours dans la capitale, ils _____ (louer) des vélos et _____ (aller) visiter

les châteaux de la Loire. Deux de leurs amis leur _____ (dire) qu'ils _____ (faire)

cela il y a quatre ans et qu'ils _____. (adorer) « Ce _____ (être) bien si vous

_____ (pouvoir) aller en Provence aussi. » leur _____ -ils _____. (dire)

Mais le voyage de Mary et Richard _____ (être) trop court ; ils ne _____

(passer) que deux semaines en France.

Les Marshall ne _____ (connaître) que quelques mots de français et Mary

_____ (aimer) bien prendre des cours avant de partir. Mais il ne leur _____

(rester) plus beaucoup de temps avant leur départ. Hier soir, en _____ (rentrer) à la

maison, Richard _____ même _____ (dire) « bonsoir » à Mary en français !

EXERCICE 75

Exemple : Sylvie pense que vous ne __*vous*__ en irez pas avant 17h.

    a) vous   b) lui   c) m'

1. Martin ne savait pas que tu _____ attendais devant la poste.

    a) t'   b) l'   c) vous

2. Leur mère _____ avait dit de faire attention en traversant la route.

    a) leur   b) lui   c) les

3. J'ai demandé à mon cousin de _____ prêter un disque, mais il a oublié de l'apporter.

    a) moi   b) lui   c) me

4. Est-ce que vous étiez chez _____ quand leur arbre est tombé ?

    a) lui   b) eux   c) leurs

5. Quand Laurent a finalement apporté le briquet, c'était trop tard, nous n' _____ avions plus besoin.

    a) y   b) le   c) en

6. Quand nous sommes rentrés à la maison, _____ sommes tout de suite lavé les mains.

    a) nous nous   b) nous   c) elles nous

7. Quand on recule, il faut toujours regarder derrière _____.

    a) vous   b) lui   c) soi

8. Je téléphone à mes amis canadiens deux fois par mois. Mais je ne _____ vois qu'une ou deux fois par an.

    a) leur   b) eux   c) les

9. Si vous ne _____ sentez pas bien, rentrez à la maison !

    a) les   b) vous   c) me

10. _____ , si je pouvais, je remplacerais ma voiture.

    a) Moi   b) Me   c) Ma

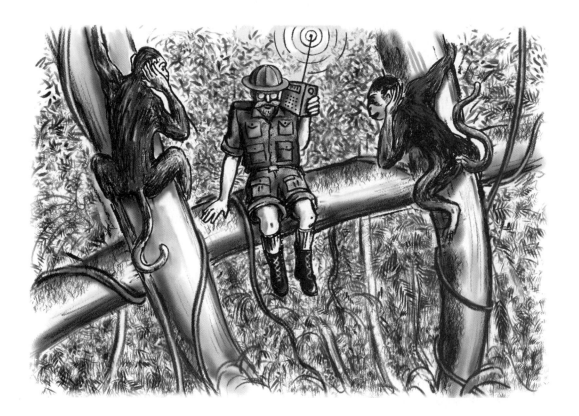

« *Il est 17h en temps universel*[1], *18h à Paris. Vous écoutez Radio France Internationale, la radio mondiale.* » De Paris à New York, de Prague à Bamako, de Phnom Penh à Sydney, le message de Radio France Internationale est présent sur les cinq continents. RFI, c'est la voix de la France à l'étranger !

Depuis sa création en 1975, RFI participe au développement de la franco-phonie dans le monde entier. Plus de 60 millions de personnes suivent ses émissions, dont 30 millions d'auditeurs réguliers.

Les émetteurs[2] en ondes courtes, les satellites, le câble, les ondes moyennes et la modulation de fréquence (FM) permettent à RFI d'envoyer ses émissions aux endroits les plus isolés de la planète. Grâce à ces techniques, dix-sept capitales africaines, trente villes européennes et des dizaines d'autres dans le monde captent ses programmes. RFI est devenue le plus grand média francophone.

[1] *temps universel = l'heure à Greenwich, GB*
[2] *émetteur = transmetteur*

Mais RFI ne diffuse pas seulement des programmes en langue française ; on peut en écouter également en plusieurs langues étrangères comme, par exemple, l'arabe, le roumain et le persan.

RFI donne une place importante à l'information avec des nouvelles spécialisées en politique intérieure et internationale. Tous les jours, 250 journalistes ainsi qu'une centaine de correspondants cherchent ce qui deviendra l'événement du jour. RFI est également connue pour ses programmes musicaux, sportifs et culturels, comme « Fréquence lire », où de célèbres écrivains parlent de leurs œuvres et « Parler au quotidien », une des émissions proposées pour l'enseignement du français. On peut toujours trouver une émission à son goût sur RFI !

Alors, si vous avez envie de vous réveiller ou de vous coucher en entendant la douce mélodie de la langue française, branchez-vous sur RFI !

EXERCICE 76

1. Les émissions de RFI sont captées _____.

    a) en temps universel
    b) par 250 journalistes
    c) sur les cinq continents

2. On peut écouter RFI grâce _____.

    a) au câble et au satellite
    b) aux habitants de dix-sept capitales africaines
    c) au plus grand média francophone

3. À « Fréquence lire » de célèbres écrivains parlent _____.

    a) aux journalistes de l'événement du jour
    b) de ce qu'ils ont écrit
    c) une quinzaine de langues

4. Sur RFI on peut toujours _____.

    a) trouver un écrivain célèbre qui parle de ses œuvres
    b) apprendre l'arabe ou le roumain
    c) rester en contact avec le monde francophone

EXERCICE 77

Exemple : Ce concours ne vaut vraiment pas le coup !
  – **_Vous avez raison !_** Un t-shirt comme premier prix !

1. Est-ce que tu as vu les tableaux de
    Cézanne dans l'autre galerie ?
    – Oh, oui ! _____

2. Je peux vous envoyer ce document
    demain, si vous voulez.
    – Non, non. _____

3. Je ne sais pas si je pourrai trouver tous les
    articles dont tu as besoin.
    – _____ Moi, je me débrouillerai pour le
    reste.

4. Ce logiciel est un peu difficile à
    comprendre.
    – C'est vrai. _____

5. Quand est-ce que je devrais arriver ?
    – _____

6. Comment était le temps à Nice ?
    – _____ Il a plu toute la semaine !

7. Il m'a proposé de me marier avec lui ! Maman, qu'est-ce que je fais ?
    – _____

8. Je ne sais pas si ce tailleur est convenable pour un entretien. Qu'est-ce
    que tu en penses ?
    – _____

9. Il me reste beaucoup de choses à faire ! J'espère finir avant 11h ce soir.
    – _____

10. Tu ne vas pas le croire : Charles est arrivé à l'heure hier soir !
    – _____ Ça doit être la première fois de sa vie !

Le plus vite possible !

Vous avez raison !

Qu'est-ce qu'ils sont beaux !

Épouvantable !

Ce n'est pas si urgent.

Bon courage !

Il suffit de lui dire oui ou non.

Incroyable !

Ce n'est pas évident !

Fais de ton mieux.

À mon avis, c'est parfait.

EXERCICE 78

	1		2			3	4	5	6		■	7		8	
		■			■	9							■		■
	10			■				■		■			11	12	
		■							13			14			
		■	15	16	17		■	18		■	19		20		■
	21		■	22				■			■	23	24		
		■									25	26			
	27		28	29	30		31	■	32						■
		■	33				■	■			■		34	35	
	36			■			37					■			

Horizontalement →

1. Des disques ou des ____ ?
7. Ce que dit un matador
9. Ne pas partir
10. Quand ____ -tu ta voiture ?
11. Toi ____ moi
13. Il va pleuvoir ; le ciel est ____.
15. À l'hôtel on paye la ____.
18. ____ on a le temps, on ira au cinéma.
19. Il a ____ cheveux noirs.
21. ____, cet, cette
22. N'est pas souvent vu
23. Douze mois
25. Il, ____
27. Qui ____ -tu pour ta soirée ?
32. Des fleurs
33. ____, on y va ?
34. Aller ____ marché
36. Notre, ____
37. N'est pas debout

Verticalement ↓

1. Yves a une ____ de timbres.
2. Pour se laver
3. Aller de l'autre côté de la route
4. Mes, ____, ses
5. Je suis, tu ____
6. Qui font des stages
7. Nous en avons deux pour entendre.
8. Voici la lettre que j'ai ____.
12. Je, ____, il
14. Il ____ rase.
16. Un bijou en ____
17. Ma, ____, sa
20. Musique des Caraïbes
24. Je ____ pense pas.
26. ____, la, les
28. Je vais, tu ____
29. Elle, ____
30. Mon, ____, son
31. Initiales de Simone Signoret
35. ____, une

Noms :
le bricolage
  endroit
  jardinage
  sous-sol
  trou

Verbes :
capter
diffuser
se tromper

Est-ce que vous avez fait des progrès dans vos études de langue ?
– Oui, j'en ai fait beaucoup. Maintenant, je fais moins de fautes qu'avant.

Si on ne comprend pas en classe, sur qui peut-on compter ?
– On peut toujours compter sur son professeur !

Pourquoi M. Varrot s'est-il vexé ?
– Il s'est vexé parce qu'il n'a pas le sens de l'humour.

Pourquoi étiez-vous de bonne humeur hier ?
– J'étais de bonne humeur parce que j'avais passé une journée très agréable.

Peut-on faire des travaux dans un appartement de location ?
– Non, mais faire du bricolage est permis.

Où range-t-on les bouteilles de vin en général ?
– On les range à la cave.

Que doit-on faire quand on recule en voiture ?
– On doit regarder derrière soi !

Quelles émissions de radio écoutez-vous ?
– J'écoute des émissions politiques et culturelles.

À quelle heure écoutez-vous les nouvelles ?
– Je les écoute à 7h et à 19h.

Expressions :
De toute façon …
À mon avis …
Pour tous les goûts …

Que vous dit-on à la fin de vos cours ?
– Félicitations ! À la prochaine !

EXERCICES DE
COMPOSITION

Chapitre 1

A. Votre réveil n'a pas sonné et vous avez une réunion importante. Expliquez la situation en 6 ou 7 phrases avec ces mots :

se coucher	ne pas marcher	être en retard
tard	se réveiller	manquer
réveil	se dépêcher	réunion

B. Une visite chez le médecin. Écrivez 8 à 10 phrases avec ces mots :

se sentir mal	fièvre	ordonnance
avoir mal à ...	conseiller de	se reposer
examiner	médicament	ne pas s'inquiéter

Chapitre 2

Que faisiez-vous quand vous étiez jeune ?
Racontez en 8 ou 10 phrases avec ces mots :

quand	école	inviter
habiter	voisins	fête
frères et sœurs	anniversaire	s'amuser

Chapitre 3

A. Aujourd'hui samedi, vous allez faire des courses. Écrivez où vous allez en 8 ou 10 phrases :

coiffeur	banque	teinturerie
passer par	chèque	vêtement
se faire couper les cheveux	déposer	faire nettoyer

B. Aimez-vous conduire ? Expliquez pourquoi en 6 ou 7 phrases avec ces mots :

conduire	limitation	klaxonner
vite	embouteillage	freiner
autoroute	ralentir	s'arrêter

A. Votre voisin vous a parlé de son travail. Écrivez ce qu'il a dit en 6 ou 7 phrases avec ces mots :

il a dit que …	société	produire
P.-D.G.	travailler	employer
secrétaire	depuis	exporter vers

B. Vous venez de commencer un nouveau travail. Racontez ce que vous avez fait pour avoir cet emploi en 8 à 10 phrases avec ces mots :

trouver	C.V.	chef du personnel
emploi	envoyer	réponse
petites annonces	entretien	commencer

A. Quel est votre sport préféré ? Parlez-en en faisant 8 à 10 phrases avec ces mots :

sportif / sportive	s'ennuyer	bon / mauvais
faire du …	équipe	perdre
s'intéresser à	spectateur / -trice	s'amuser

B. Quel temps fait-il dans votre pays ? Répondez en 8 à 10 phrases avec ces mots :

au nord / sud	à partir de	ciel
à l'est / ouest	mauvais / doux	il pleut
saison	neige / vent	froid / chaud

| Chapitre 6 | **A.** Vous venez de déménager dans une autre ville. Écrivez 8 à 10 phrases avec ces mots : |

déménager   voisin   grâce à
carton   inviter   faire la connaissance
manquer   quartier   gentil

B. Vous êtes allé faire du ski et vous vous êtes fait mal. Dites ce qui s'est passé en 8 à 10 phrases avec ces mots :

vite   marcher   grave
tomber   jambe   infirmière
se faire mal   médecin   soigner

Chapitre 7   **A.** Si vous pouviez avoir la maison de vos rêves, comment serait-elle ? Décrivez-la en 8 ou 10 phrases avec ces mots :

Si j'avais …   vue   salle de séjour
se trouver   ni … ni …   jardin
montagne / mer   calme   piscine

B. Vous n'êtes pas content de votre voisin. Expliquez pourquoi en 6 ou 8 phrases avec ces mots :

sale   affaires   chien
bruyant   poubelle   aboyer
curieux   s'occuper de   déranger

Chapitre 8

A. Quel est votre peintre préféré ? Dites pourquoi en 5 ou 6 phrases avec ces mots :

exposition	style	admirer
tableau	époque	très cher
couleurs	œuvre d'art	musée

B. Quels sont vos loisirs ? Parlez-en en 8 ou 10 phrases avec ces mots :

spectacle	théâtre	danser
opéra	drôle	chanteur
concert	rire	voix

Chapitre 9

A. Pourquoi utilisez-vous un ordinateur ? Expliquez en 8 à 10 phrases avec ces mots :

travail	permettre	quotidien
maison	avantage	message
utile	inconvénient	simple

B. Aimeriez-vous aller sur la lune ? Expliquez pourquoi (pourquoi pas) en 4 à 6 phrases avec ces mots :

rêver de	s'envoler	équipement
voyage	espace	astronaute
navette spatiale	étoiles	marcher

Chapitre 10

A. Vous avez loué une voiture à Paris. Décrivez la circulation en 6 à 8 phrases avec ces mots :

heures de pointe	se garer	faire de son mieux
épouvantable	nulle part	ceinture de sécurité
feu rouge	double file	prudent

B. Vous entendez un grand bruit, vous vous précipitez à la fenêtre. Il y a un accident. Décrivez-le en 6 à 8 phrases avec ces mots :

rentrer dans	l'arrière	se précipiter
l'avant	mauvais état	urgent
phares cassés	reconnaître	ambulance

Chapitre 11

Vous avez été invité à une soirée. Vous vous êtes déguisé. Décrivez la soirée en 6 à 7 phrases avec ces mots :

déguisement	surprenant	marcher
astronaute	lourd	surnommé
(genre d'animal)	avoir du mal	juger

Chapitre 12

A. Si vous pouviez habiter et travailler dans un pays francophone, le feriez-vous ? Expliquez pourquoi en 8 à 10 phrases avec ces mots :

à mon avis	incroyable	manquer
avoir de la chance	n'importe où	famille
expérience	découvrir	triste

B. Parlez à un ami de vos cours à Berlitz. Écrivez 6 à 8 phrases avec ces mots :

utile	compliqué	passionnant
niveau	arriver à faire	réussir
avancé	avoir du mal	espérer

CORRIGÉS DES
EXERCICES

Exercice 1 1. Ils se sont réveillés en retard parce que le réveil n'a pas sonné. 2. Il doit se dépêcher parce qu'il a une réunion importante. 3. Murielle s'est réveillée avant l'arrivée de Mme Bertin. 4. Elle ne veut pas aller à l'école parce qu'elle est fatiguée. 5. Elle pense porter un pull. 6. Nicolas a une chambre pour lui tout seul. 7. Ils prennent leur petit déjeuner dans la cuisine. 8. Elle prend du café au lait et des tartines.

Exercice 2 1. se regarde 2. se sont couchés 3. se lavent 4. nous sommes endormis 5. s'est douchée / s'est coiffée 6. se brosse 7. vous en allez 8. me déshabillerai 9. se rase 10. Dépêchez-vous 11. s'habillent 12. me suis levé

Exercice 3 1. Il lui téléphone parce qu'il ne se sent pas bien. 2. La réceptionniste répond au téléphone. 3. Il pourra le voir aujourd'hui à 15h. 4. Il a mal à la gorge. 5. Il a 39. 6. Il a la grippe. 7. Il lui conseille de rester chez lui pendant quelques jours et de prendre des médicaments. 8. Il demande quand il pourra reprendre le travail, parce qu'il a une réunion importante lundi.

Exercice 4 1. ans 2. yeux / courts 3. cabinet 4. patients / médecin 5. pharmacie 6. cheveux / blonds 7. lunettes 8. jeune

Exercice 5 1. Valérie Lamy l'a appelée. 2. Elle lui a téléphoné pour lui dire qu'elle arrivait à Paris le lendemain. 3. Elle l'a rencontrée quand elles travaillaient au service marketing d'Air France. 4. Elle l'a trouvée très sympathique. 5. Elles sortaient presque toutes les semaines et elles passaient quelquefois leurs vacances ensemble. 6. Au bout de trois ans, elle est allée à Toulouse. 7. Elle lui a présenté son ami Marc Lamy. 8. Ils habitent à Bruxelles. 9. Après le dîner, ils ont regardé des photos. 10. Ils y vont mercredi soir.

Exercice 6 1. pensait 2. tombait 3. voulais 4. faisait 5. étaient / allions 6. étions / nous amusions 7. avait 8. avais / me couchais

Exercice 7 sont devenus / avaient / vivaient / allaient / partaient / revenaient / jouaient / est sorti / a attendu / est … venu / attendait / voulait / a décidé / était / a sonné / a ouvert / a invité / a demandé / était / a dit / se sentait / pouvait / a voulu / était / a répondu

Exercice 8 1. Ils y retournent demain après-midi. 2. Ils voulaient aller au théâtre. 3. Il n'y va pas parce qu'il ne se sent pas bien. 4. Elle téléphone à son amie Sylvie Féraud. 5. Elle est au bureau. 6. Elle allait peut-être regarder la télévision. 7. Elle doit rentrer chez elle. 8. Elles se donnent rendez-vous devant le théâtre.

Exercice 9   1. Dis / veux 2. as remercié 3. as … pensé 4. te souviens 5. feras / passeras 6. t'es … amusé 7. étais / avais 8. vouvoyais 9. offriras 10. as … rencontré 11. Va 12. te lèveras

Exercice 10   – Jean-Paul ! Comment vas-tu ? Je ne t'ai pas vu depuis que tu es parti ! Comment vont ta femme et tes enfants ?

– Guy ! Quelle surprise de te voir ! Ça va très bien, merci. Mes enfants sont maintenant à l'université. Et les tiens ?

– Les miens vont bien. Ils deviennent grands. Dis-moi, où habites-tu maintenant ?

– Nous avons acheté une maison à Strasbourg. Ton frère habite là-bas, n'est-ce pas ?

– Oui, c'est ça, mon frère Vincent. Mais, tu le connais ?

– Oui ! Tu ne te souviens pas ? Je l'ai rencontré quand il est venu avec toi au bureau, au mois d'octobre.

– Ah oui, c'est vrai. Je peux te donner son numéro de téléphone si tu veux. Tu sais, il connaît beaucoup de gens à Strasbourg.

– Je veux bien. Nous connaissons peu de gens là où nous sommes. Merci beaucoup, Guy !

Exercice 11   1. nous vouvoyons 2. se sont mariés 3. se sont donné 4. se connaissaient 5. nous téléphonerons 6. se regarder

Exercice 12   1. Il vient de Québec. 2. Il y passera deux ans. 3. Il y va pour ouvrir un compte. 4. Il a apporté son passeport. 5. Il doit les remplir. 6. Il y mettra 3 000 dollars canadiens. 7. Il ne peut pas l'avoir tout de suite parce qu'il n'a pas encore reçu de salaire. 8. Il y travaille depuis une semaine.

Exercice 13   A. 1. Tu les fais enregistrer. 2. Nous nous les faisons couper. 3. Vous les faites faire. 4. Il l'a fait remplir. 5. Ils les font réparer.

B. 1. Il ne l'a pas fait développer. Il l'a développée lui-même. 2. Elle ne l'a pas fait faire. Elle l'a fait elle-même. 3. Je ne la ferai pas confirmer. Je la confirmerai moi-même. 4. Je ne l'ai pas fait nettoyer. Je l'ai nettoyée moi-même. 5. Elle ne les faisait pas faire. Elle les faisait elle-même.

Exercice 14   1. Le Lys d'Or est à Grenoble. 2. Il est ouvert de 10 heures à 22 heures, du lundi au samedi. 3. On peut les avoir en une heure. 4. On les dépose à la teinturerie Lamarche. 5. Non, il n'est pas nécessaire d'avoir un rendez-vous pour se faire couper les cheveux.

Exercice 15

1. Il y va en auto-stop. 2. C'est une magnifique voiture de sport rouge. 3. Il entend mal sa réponse parce que la musique dans la voiture est très forte. 4. Il n'a pas vu que quelqu'un freinait devant eux parce qu'il était en train de chercher une cassette derrière lui. 5. Elles ralentissent parce qu'il y a un embouteillage. 6. Il décide de trouver un autre moyen pour aller en Avignon.

Exercice 16

A. 1. Oui, j'en ai changé hier. 2. Non, ils n'en ont pas du tout envie. 3. Oui, il en aura besoin toute l'après-midi. 4. Non, je ne m'en souviens pas très bien. 5. Oui, il en avait un peu. 6. Oui, je dois en remplir plusieurs. 7. J'en ai fait développer trois. 8. Non, il n'en a pas une seule. 9. Oui, il en a retiré beaucoup. 10. Il en a conseillé deux.

Exercice 17

1. rapidement 2. vraiment 3. prochainement 4. Premièrement / Deuxièmement 5. lentement 6. longuement 7. gentiment 8. difficilement

Exercice 18

1. On fête le 50ème anniversaire de la société Brunet Père et Fils. 2. Cinq personnes travaillaient pour la société Brunet à ses débuts. 3. Aujourd'hui, 210 personnes travaillent pour la société. 4. Il a dû acheter une usine pour répondre à une demande de plus en plus importante. 5. Il a décidé de partir à la retraite il y a cinq ans. 6. Elle y vend 70% de sa production. 7. Elle les exporte vers l'Europe. 8. Elle est parmi les premiers fabricants de meubles français grâce à la collaboration et au travail excellent de ses employés.

Exercice 19

1. ... ce que je vais faire pendant les vacances 2. ... ce qui est à la mode en Europe 3. ... ce qui ne va pas 4. ... ce que votre femme a pensé du film 5. ... ce qui appartient à Charles 6. ... ce que nous prenions comme dessert 7. ... ce que le P.-D.G. a dit dans son discours 8. ... ce qui est nécessaire pour le voyage

Exercice 20

1. Non, elle est absente. 2. Permettez-moi de vous présenter ... 3. Non, c'est impossible. 4. Quoi de neuf ? 5. Non, je l'ai fait moi-même. 6. Il avait l'air fatigué. 7. Oh, c'est gentil ! 8. Non, je me sens mieux, merci. 9. C'est grâce à ma femme ! 10. Quelle surprise !

Exercice 21

1. C'est le chef du personnel de la société Brunet. 2. Il a mis une annonce dans le journal. 3. Elle est venue à la société Brunet parce qu'elle a un entretien avec le chef du personnel. 4. Elle est secrétaire d'une petite agence de publicité. 5. Elle recherche un emploi avec plus de responsabilités. 6. Elle parle français et anglais. 7. Elle maîtrise WordPerfect et Excel. 8. Elle verra le responsable du marketing.

Exercice 22   1. a) vers   2. c) à   3. c) en   4. b) de   5. b) à la   6. c) d'   7. b) En   8. a) à   9. b) d'un   10. b) des

Exercice 23   1. a commencé à   2. a fini par   3. a fini par   4. commence par   5. ont commencé à   6. Par … commencer   7. s'arrêter de   8. ont … fini de   9. ai arrêté de   10. continuons à

Exercice 24   1. Ils y sont pour la finale-messieurs des Internationaux de tennis. 2. Il l'a rencontrée en arrivant à l'entrée du stade. 3. Il l'a eu parce qu'un de ses collègues est tombé malade et lui a donné le sien. 4. Oui, elle l'a payé très cher. 5. On en vend à cinq fois le prix officiel. 6. Sylvie était déjà au stade pour les demi-finales. 7. Ils ont fait la queue pendant une demi-heure. 8. Ils iront prendre quelque chose à boire.

Exercice 25   1. En organisant ses papiers, Nicolas a trouvé son passeport. / Nicolas a trouvé son passeport en organisant ses papiers. 2. En entendant le klaxon, Sylvie a ralenti. / Sylvie a ralenti en entendant le klaxon. 3. En remplissant ton formulaire, tu as oublié quelque chose. / Tu as oublié quelque chose en remplissant ton formulaire. 4. En sortant, est-ce que vous avez vu la neige? / Est-ce que vous avez vu la neige en sortant ? 5. En faisant la queue, nous avons mangé une glace. / Nous avons mangé une glace en faisant la queue. 6. En allant à la piscine, j'ai rencontré ma voisine. / J'ai rencontré ma voisine en allant à la piscine. 7. En se rasant, Marc s'est coupé. / Marc s'est coupé en se rasant. 8. En partant, les enfants n'ont pas dit « au revoir ». / Les enfants n'ont pas dit « au revoir » en partant. 9. En lisant le journal, est-ce que Lydie a vu la photo de son mari ? / Est-ce que Lydie a vu la photo de son mari en lisant le journal ? 10. En arrivant au restaurant, j'ai enlevé mon manteau et mes gants. / J'ai enlevé mon manteau et mes gants en arrivant au restaurant.

Exercice 26   A. 1. Il neigera à Zermatt. 2. Il pleuvra dans l'ouest de la Suisse. 3. Il y aura des nuages à Berne et à Zurich. 4. Il fera du soleil à Bâle.

B. temps / nuageux / froid / soleil / nuages / pleuvoir

Exercice 27   1. b   2. c   3. a   4. b

Exercice 28   1. Après avoir eu trois jours de pluie, nous avons eu du beau temps pendant nos derniers jours de vacances. 2. Après être allé voir le Tour de France, j'ai eu envie de faire du cyclisme. 3. Après être passé trois fois devant chez moi, tu as trouvé ma maison. 4. Après avoir perdu la course, Olivier n'était pas très content. 5. Après avoir déjeuné, est-ce que nous irons nous promener dans la forêt ? 6. Après avoir regardé un film de Superman, les enfants rêvent d'être forts comme lui.

Exercice 28 *(suite)*	7. Après s'être brossé les dents, mes soeurs n'ont plus voulu manger de gâteau. 8. Après être tombé malade, Sylvain est resté au lit très longtemps. 9. Après avoir rejoint son ami à Paris, Caroline partira-t-elle avec lui en Belgique ? 10. Après avoir longuement parlé avec son patron, Olivier a eu une promotion.
Exercice 29	1. nord 2. à cause de 3. de moins en moins 4. perdre 5. nombreux 6. dépose 7. plein temps 8. joueurs 9. à la retraite 10. démarrer
Exercice 30	1. Elle a déménagé à Vancouver pour faire un stage pour son travail. 2. Elle y passera un an. 3. Il y retournera à la fin février. 4. Il manquera le Carnaval. 5. Elle va visiter Vancouver avec sa voisine. 6. Elle ne peut pas la continuer parce qu'il y a quelqu'un à la porte.
Exercice 31	1. b) depuis 2. c) Dans 3. a) pendant 4. a) depuis 5. c) pendant 6. b) il y a 7. a) depuis 8. c) pour 9. b) dans 10. a) pendant
Exercice 32	1. âge 2. énergique 3. gagnant 4. stage 5. souviens 6. remercier 7. sportive 8. jardin 9. ennuyeux 10. joueur
Exercice 33	1. déplacement 2. passer 3. l'air 4. vingtaine 5. fait 6. tout à coup 7. verre 8. fier 9. emploi 10. queue
Exercice 34	1. Ils iront aux sports d'hiver. 2. Ils ont appris à skier à Val d'Isère l'année dernière. 3. Ils ont vu une annonce dans le journal, l'été dernier. 4. Les sports d'hiver ne l'ont jamais attirée, et elle n'aime pas beaucoup le froid. 5. Elle préfère les passer au soleil. 6. On y offre toutes sortes d'activités : ski nautique, plongée sous-marine et tennis.
Exercice 35	1. sont 2. faisait / était 3. fait 4. étaient 5. avez 6. est 7. fera 8. avaient 9. fait / ai 10. est
Exercice 36	1. a dit / vous connaissez 2. est arrivé / portait 3. s'est fait couper 4. pense / t'inquiètes 5. travaillais / était 6. se marieront 7. oubliez / a offerts 8. avais / ai eu 9. sais / seras / manqueras 10. suivrons 11. êtes-vous promenée 12. est tombée / s'est fait
Exercice 37	Horizontalement : 1. carton 4. font 6. comme 9. lue 10. sort 11. mi 12. star 14. seras 15. ira 17. embaucher 19. de 20. on 22. ans 23. sienne Verticalement : 1. cycliste 2. Rome 3. en 4. ferme 5. tapis 7. ou 8. est 11. marron 13. Riad 14. sac 16. rues 18. mon 21. ne
Exercice 38	1. a 2. c 3. b

Exercice 39   1. Si j'habitais à Paris, j'irais au Musée du Louvre très souvent. 2. Si vous aviez beaucoup de temps, que feriez-vous ? 3. Si M. et Mme Bonnefoy n'étaient pas très discrets, ils s'occuperaient de nos affaires. 4. S'il y avait un ascenseur, est-ce que vous monteriez par l'escalier ? 5. Si tu ne déménageais pas très loin, nous pourrions nous voir souvent. 6. Si Paul ne voyageait pas beaucoup, il verrait ses enfants le week-end. 7. Si le chien n'aboyait pas, auriez-vous peur ? 8. Si l'immeuble n'était pas près de la gare, nous n'entendrions pas les trains.

Exercice 40   1. Elle n'était ni dans le garage ni devant la maison. 2. Non, nous n'avons ni fait nos valises ni réservé de chambre pour demain soir. 3. Non, il ne porte ni manteau ni gants. 4. Non, ils ne se sont ni brossé les dents ni habillés. 5. Non, elle ne m'a offert ni café ni thé. 6. Non, elle n'a ni nettoyé la table ni lavé les assiettes. 7. Non, je ne me souviens ni de son nom ni de son adresse. 8. Il n'a téléphoné ni à sa famille ni à ses amis depuis qu'il est parti. 9. Non, elle n'est ni trop bavarde ni trop curieuse. 10. Ils n'ont visité ni la Tour Eiffel ni l'Arc de Triomphe.

Exercice 41   1. le ménage   2. du sport   3. de l'auto-stop   4. partie   5. la connaissance   6. une soirée   7. la queue   8. des courses   9. peur 10. classement 11. faire 12. mal

Exercice 42   1. Elle a commencé à les regarder il y a une semaine. 2. Elle ne le visitera pas parce que le propriétaire l'a déjà loué. 3. Il a dit que c'était un trois-pièces et qu'il était toujours disponible. 4. Il a dit qu'elle pourrait le voir à 18h. 5. Elle prendra le métro.

Exercice 43   1. Voudriez 2. aurait 3. Aimeriez 4. devriez 5. feriez 6. pourriez 7. faudrait 8. seriez 9. préféreriez 10. sauriez

Exercice 44   1. nous pourrions emménager fin avril   2. Christian et Martine apporteraient des cartons   3. Isabelle resterait à Londres pendant longtemps 4. je devrais vérifier le prix avant de réserver   5. nous serions plus calmes si elle nous donnait du chocolat   6. nous vendrions notre appartement l'année prochaine   7. Mme Renaud m'attendrait jusqu'à 17h 8. les Faure prendraient l'appartement en dessous du nôtre   9. il n'y aurait pas de chauffage avant le 1er novembre 10. Carole achèterait pour la nouvelle maison d'Yvette

Exercice 45   1. Ils sont de Paris. 2. Ils assisteront au Festival de Jazz de Montreux. 3. Ils y arriveront le 6 juillet. 4. Une collègue en avait parlé à Annie. 5. Ils achètent des billets pour le concert *Rock et Blues* du 6 et le concert *Gospel* du 7. 6. Ils les recevront dans quelques jours.

Exercice 46 1. avaient demandées 2. étais … rentré 3. avais … compris 4. avait … raconté 5. était arrivée 6. était … allée

Exercice 47 1. si j'étais déjà allé en Suisse. 2. qu'elle avait envoyé toutes ses invitations hier matin. 3. si Christine avait réservé ses billets pour l'exposition. 4. quand Lydie était revenue d'Espagne. 5. que ma carte postale d'Italie n'était toujours pas arrivée. 6. à quelle heure M. et Mme Véron avaient dû partir. 7. qu'elle n'avait pas pu aller voir le film de 18h. 8. ce que nous avions fait dimanche soir. 9. combien tu avais payé ta voiture. 10. si j'avais reçu la confirmation des billets d'avion.

Exercice 48 1. Ils ont pensé que c'était très bien. 2. Il y est allé pour la première fois en 1967. 3. À l'époque, il y avait moins d'une dizaine de musiciens. 4. Aujourd'hui, il y en a plus d'un millier. 5. On peut y entendre un peu de tout : du jazz, du reggae, du blues, de la musique africaine, etc. 6. Ils n'avaient pas pu trouver de places pour les conférences qu'organise le festival.

Exercice 49 1. a) avait lu 2. b) avons reçu 3. b) avais prévu 4. c) étaient 5. c) sommes allés 6. c) était … allé 7. b) ont ri 8. c) avais dit 9. c) avons entendu 10. b) es entré

Exercice 50 1. Ça dépend 2. plein 3. Qu'est-ce qui s'est passé 4. c'est une bonne idée 5. mon tour 6. c'était vraiment ennuyeux 7. qu'est-ce qu'elle 8. ça vaut le coup 9. un bon moment 10. à partir du

Exercice 51 1. Il cherche un logiciel pour sa fille Murielle comme cadeau de Noël. 2. Il lui propose un logiciel pour apprendre les langues étrangères. 3. La durée de la leçon et sa difficulté sont déterminées par le logiciel. 4. Le score est indiqué à la fin de chaque exercice. 5. Il ne l'achète pas tout de suite parce qu'il veut en parler à sa femme.

Exercice 52 1. Ces avions sont fabriqués par Boeing. 2. Cette chanson a été chantée par Maurice Chevalier pour la première fois en 1946. 3. Ce livre ne peut pas être emprunté plusieurs fois par la même personne. 4. Par qui le film policier qui passera à la télé demain soir sera-t-il enregistré ? 5. Cyrano a été joué par Gérard Depardieu dans le film de Jean-Paul Rappeneau. 6. Quand les voisins ont emménagé, tout le quartier a été dérangé. 7. Est-ce que la durée du jeu sera indiquée par un petit symbole ? 8. Gilbert a été très bien conseillé par ce vendeur quand il a acheté son magnétoscope. 9. L'appartement au-dessus de chez moi vient d'être loué par des professeurs. 10. Ces ordinateurs ne pourront pas être réparés par nos services avant trois semaines.

Exercice 53 1. n'importe qui   2. n'importe comment   3. n'importe quoi   4. n'importe où 5. n'importe quand 6. n'importe lequel 7. n'importe quelle 8. n'importe où

Exercice 54 1. passionnant 2. profite 3. débutants 4. emprunte / bibliothèque 5. utile 6. locataires / bruyants 7. œuvre 8. mis en colère 9. Tiens 10. informatique

Exercice 55 1. b 2. b 3. c

Exercice 56 1. Le club de tennis dont nous faisions partie il y a cinq ans se trouve en face de chez nous. 2. Les enfants dont je m'occupe pendant la semaine ont quatre et sept ans. 3. Jean a finalement pu acheter l'ordinateur dont il avait toujours rêvé. 4. Le travail dont vous êtes responsable devra être fini avant la fin de la semaine. 5. C'est une situation très grave dont nous devons parler tout de suite. 6. Ma cousine dont vous avez fait la connaissance l'année dernière, est maintenant directrice d'une société d'informatique. 7. Le meilleur lecteur CD sur le marché et dont j'ai envie depuis longtemps est en solde. 8. La dernière invention de la société Eurotech dont nous avons discuté à la dernière conférence, est déjà une réussite à l'étranger. 9. Le nouveau livre d'Umberto Eco dont nous avons commandé un exemplaire en Italie, n'est pas encore disponible en France. 10. La première fois qu'un homme a marché sur la lune était un événement extraordinaire dont je me souviendrai toujours.

Exercice 57 1. c) duquel 2. b) à laquelle 3. a) parmi lesquelles 4. a) pour laquelle 5. c) auquel 6. b) avec lesquelles 7. b) dans lequel 8. b) sans lesquels

Exercice 58 1. propres 2. compliqué 3. calme 4. pleurer 5. prêté 6. avantage 7. disparaît 8. triste 9. pleine 10. propriétaire

Exercice 59 1. Elle s'inquiète parce que sa collègue, Nadine Tessier, n'est toujours pas arrivée. 2. Elle est en retard parce qu'elle est coincée dans un embouteillage. 3. Il y a un sommet international. 4. Elle laissera sa voiture dans un parking souterrain et prendra le métro. 5. Elle devrait arriver au bureau dans un quart d'heure.

Exercice 60 1. Avez-vous bu le café brésilien acheté au magasin d'import-export ? 2. Le policier met-il des contraventions aux voitures garées dans la rue ? 3. Savez-vous d'où vient le tableau accroché au mur de la salle à manger ? 4. Avez-vous regardé les photos prises par Daniel à Bordeaux ? 5. Avez-vous déjà entendu de la musique faite par ordinateur ? 6. Est-ce que les montres fabriquées par cette société sont

Exercice 60 (*suite*)	de bonne qualité ? 7. Aimez-vous les salades faites avec les légumes du jardin ? 8. Est-ce que la secrétaire a envoyé les cartes d'invitations signées par M. Maurin ? 9. Avez-vous lu le livre écrit par des banquiers de Wall Street ? 10. Les logiciels commandés par Julie sont-ils arrivés ?
Exercice 61	1. pas encore 2. personne 3. jamais 4. que 5. rien 6. aucune 7. nulle part 8. plus 9. ni … ni 10. pas
Exercice 62	1. à propos 2. indiqué 3. dedans 4. tableaux 5. quotidiennement 6. plein de 7. permet 8. n'a pas le droit 9. vaut 10. fait le ménage
Exercice 63	1. Il s'est mis en colère parce qu'une voiture a embouti la sienne. 2. Il lui avait promis de ne prêter sa voiture à personne. 3. Il est soupçonné d'avoir causé l'incendie qui n'a laissé que la moitié du garage de M. Moreau.
Exercice 64	1. Emprunter 2. fumer 3. Se garer 4. changer 5. Voyager 6. Habiter 7. Prendre 8. savoir 9. Rouler 10. Avoir
Exercice 65	1. c) d'abord 2. a) tout de suite 3. b) finalement 4. c) le lendemain 5. c) en même temps 6. b) une fois par semaine 7. a) à l'heure 8. b) hebdomadaires 9. a) tout à coup 10. b) Quelquefois
Exercice 66	1. stationnement 2. payant 3. vitesse 4. autoroute 5. doubler
Exercice 67	1. Il passe la matinée au marché aux puces. 2. On trouve des meubles anciens, de la vaisselle, des vêtements, des disques et des livres d'occasion, des bijoux anciens, etc. 3. Il s'intéresse aux vieilles montres. 4. Il fait une bonne affaire parce que, normalement, une montre comme ça coûterait deux fois plus cher. 5. Il n'a plus de portefeuille, parce qu'il a perdu le sien. 6. Il ne lui reste plus rien.
Exercice 68	1. dépensé 2. promis 3. circulation 4. plaisante 5. inquiètes 6. accrocher 7. démoli 8. payant 9. permis 10. interdit
Exercice 69	1. Ne t'en fais pas 2. en ai assez 3. en sont 4. s'en moque 5. t'en supplie 6. ne lui en veux pas 7. n'en ai jamais entendu parler 8. s'en va 9. en ai entendu dire 10. vous en prie
Exercice 70	1. c 2. c 3. b
Exercice 71	1. Nous 2. toi 3. Eux 4. lui 5. moi / elle 6. moi 7. elles 8. Eux 9. Elle 10. Toi / lui

Exercice 72   1. antiquaire 2. Au moment où 3. bonnes affaires 4. ce n'est pas la peine 5. s'est moqué 6. Ça suffit 7. Peu importe 8. faire attention 9. marchander 10. au bord de

Exercice 73   1. Ils sortent de l'école Berlitz. 2. Selon lui, elle devrait commencer à apprendre l'anglais. 3. Il pense qu'elle a l'âge idéal parce que les enfants sont ouverts à tout ce qui est nouveau. 4. Il va chercher quelqu'un pour lui donner des cours à la maison. 5. Elle lui conseille de prendre une jeune fille au pair. 6. Il n'en est pas content parce qu'après dix ans d'anglais, il n'arrive toujours pas à commander un repas dans un restaurant.

Exercice 74   se dit / fait / parlent / est / a / a acheté / a réservé / ont décidé / loueraient / iraient / ont dit / avaient fait / avaient adoré / serait / pouviez / ont … dit / sera / passeront / connaissent / aimerait / reste / rentrant / a … dit

Exercice 75   1. b) l' 2. a) leur 3. c) me 4. b) eux 5. c) en 6. a) nous nous 7. c) soi 8. c) les 9. b) vous 10. a) Moi

Exercice 76   1. c 2. a 3. b 4. c

Exercice 77   1. Qu'est-ce qu'ils sont beaux ! 2. Ce n'est pas si urgent ! 3. Fais de ton mieux. 4. Ce n'est pas évident ! 5. Le plus vite possible ! 6. Épouvantable ! 7. Il suffit de lui dire oui ou non. 8. À mon avis, c'est parfait ! 9. Bon courage ! 10. Incroyable !

Exercice 78   Horizontalement : 1. cassettes 7. ollé 9. rester 10. laveras 11. et 13. gris 15. note 18. si 19. les 21. ce 22. rare 23. an 25. elle 27. invites 32. roses 33. alors 34. au 36. nos 37. assis

Verticalement : 1. collection 2. savon 3. traverser 4. tes 5. es 6. stagiaires 7. oreilles 8. lue 12. tu 14. se 16. or 17. ta 20. salsa 24. ne 26. le 28. vas 29. il 30. ton 31. ss 35. un

TABLEAUX DES CONJUGAISONS

LE VERBE *AVOIR*

Participe présent : ayant / Participe passé : eu

	Présent	Passé composé	Futur	Impératif
je / j'	ai	ai eu	aurai	
tu	as	as eu	auras	aie
il / elle	a	a eu	aura	
nous	avons	avons eu	aurons	ayons
vous	avez	avez eu	aurez	ayez
ils / elles	ont	ont eu	auront	

	Imparfait	Plus-que-parfait	Conditionnel
je / j'	avais	avais eu	aurais
tu	avais	avais eu	aurais
il / elle	avait	avait eu	aurait
nous	avions	avions eu	aurions
vous	aviez	aviez eu	auriez
ils / elles	avaient	avaient eu	auraient

LE VERBE *ÊTRE*

Participe présent : étant / Participe passé : été

	Présent	Passé composé	Futur	Impératif
je / j'	suis	ai été	serai	
tu	es	as été	seras	sois
il / elle	est	a été	sera	
nous	sommes	avons été	serons	soyons
vous	êtes	avez été	serez	soyez
ils / elles	sont	ont été	seront	

	Imparfait	Plus-que-parfait	Conditionnel
je / j'	étais	avais été	serais
tu	étais	avais été	serais
il / elle	était	avait été	serait
nous	étions	avions été	serions
vous	étiez	aviez été	seriez
ils / elles	étaient	avaient été	seraient

CONJUGAISONS

VERBES EN -ER : PARLER

Participe présent : parlant / Participe passé : parlé

	Présent	Passé composé	Futur	Impératif
je / j'	parle	ai parlé	parlerai	
tu	parles	as parlé	parleras	parle
il / elle	parle	a parlé	parlera	
nous	parlons	avons parlé	parlerons	parlons
vous	parlez	avez parlé	parlerez	parlez
ils / elles	parlent	ont parlé	parleront	

	Imparfait	Plus-que-parfait	Conditionnel
je / j'	parlais	avais parlé	parlerais
tu	parlais	avais parlé	parlerais
il / elle	parlait	avait parlé	parlerait
nous	parlions	avions parlé	parlerions
vous	parliez	aviez parlé	parleriez
ils / elles	parlaient	avaient parlé	parleraient

VERBES EN -IR : FINIR

Participe présent : finissant / Participe passé : fini

	Présent	Passé composé	Futur	Impératif
je / j'	finis	ai fini	finirai	
tu	finis	as fini	finiras	finis
il / elle	finit	a fini	finira	
nous	finissons	avons fini	finirons	finissons
vous	finissez	avez fini	finirez	finissez
ils / elles	finissent	ont fini	finiront	

	Imparfait	Plus-que-parfait	Conditionnel
je / j'	finissais	avais fini	finirais
tu	finissais	avais fini	finirais
il / elle	finissait	avait fini	finirait
nous	finissions	avions fini	finirions
vous	finissiez	aviez fini	finiriez
ils / elles	finissaient	avaient fini	finiraient

VERBES PRONOMINAUX

s'amuser **Participe présent :** amusant / **Participe passé :** amusé
Impératif : amuse-toi / amusons-nous / amusez-vous

	Présent	Futur	Passé composé
je / j'	m'amuse	m'amuserai	me suis amusé(e)
tu	t'amuses	t'amuseras	t'es amusé(e)
il / elle	s'amuse	s'amusera	s'est amusé(e)
nous	nous amusons	nous amuserons	nous sommes amusé(e)s
vous	vous amusez	vous amuserez	vous êtes amusé(e)s
ils / elles	s'amusent	s'amuseront	se sont amusé(e)s

	Imparfait	Conditionnel	Plus-que-parfait
je / j'	m'amusais	m'amuserais	m'étais amusé(e)
tu	t'amusais	t'amuserais	t'étais amusé(e)
il / elle	s'amusait	s'amuserait	s'était amusé(e)
nous	nous amusions	nous amuserions	nous étions amusé(e)s
vous	vous amusiez	vous amuseriez	vous étiez amusé(e)s
ils / elles	s'amusaient	s'amuseraient	s'étaient amusé(e)s

se souvenir **Participe présent :** souvenant / **Participe passé :** souvenu
Impératif : souviens-toi / souvenons-nous / souvenez-vous

	Présent	Futur	Passé composé
je / j'	me souviens	me souviendrai	me suis souvenu(e)
tu	te souviens	te souviendras	t'es souvenu(e)
il / elle	se souvient	se souviendra	s'est souvenu(e)
nous	nous souvenons	nous souviendrons	nous sommes souvenu(e)s
vous	vous souvenez	vous souviendrez	vous êtes souvenu(e)s
ils / elles	se souviennent	se souviendront	se sont souvenu(e)s

	Imparfait	Conditionnel	Plus-que-parfait
je / j'	me souvenais	me souviendrais	m'étais souvenu(e)
tu	te souvenais	te souviendrais	t'étais souvenu(e)
il / elle	se souvenait	se souviendrait	s'était souvenu(e)
nous	nous souvenions	nous souviendrions	nous étions souvenu(e)s
vous	vous souveniez	vous souviendriez	vous étiez souvenu(e)s
ils / elles	se souvenaient	se souviendraient	s'étaient souvenu(e)s

aller
part. présent : **allant**
part. passé : **allé** (*avec être*)

	Présent	Futur	Imparfait	Conditionnel	Impératif
je / j'	vais	irai	allais	irais	
tu	vas	iras	allais	irais	va
il / elle	va	ira	allait	irait	
nous	allons	irons	allions	irions	allons
vous	allez	irez	alliez	iriez	allez
ils / elles	vont	iront	allaient	iraient	

apparaître
part. présent : **apparaissant**
part. passé : **apparu**

	Présent	Futur	Imparfait	Conditionnel	Impératif
je / j'	apparais	apparaîtrai	apparaissais	apparaîtrais	
tu	apparais	apparaîtras	apparaissais	apparaîtrais	apparais
il / elle	apparaît	apparaîtra	apparaissait	apparaîtrait	
nous	apparaissons	apparaîtrons	apparaissions	apparaîtrions	apparaissons
vous	apparaissez	apparaîtrez	apparaissiez	apparaîtriez	apparaissez
ils / elles	apparaissent	apparaîtront	apparaissaient	apparaîtraient	

boire
part. présent : **buvant**
part. passé : **bu**

	Présent	Futur	Imparfait	Conditionnel	Impératif
je / j'	bois	boirai	buvais	boirais	
tu	bois	boiras	buvais	boirais	bois
il / elle	boit	boira	buvait	boirait	
nous	buvons	boirons	buvions	boirions	buvons
vous	buvez	boirez	buviez	boiriez	buvez
ils / elles	boivent	boiront	buvaient	boiraient	

conduire
part. présent : **conduisant**
part. passé : **conduit**

	Présent	Futur	Imparfait	Conditionnel	Impératif
je / j'	conduis	conduirai	conduisais	conduirais	
tu	conduis	conduiras	conduisais	conduirais	conduis
il / elle	conduit	conduira	conduisait	conduirait	
nous	conduisons	conduirons	conduisions	conduirions	conduisons
vous	conduisez	conduirez	conduisiez	conduiriez	conduisez
ils / elles	conduisent	conduiront	conduisaient	conduiraient	

Tableaux des conjugaisons

devoir
part. présent : **devant**
part. passé : **dû**

	Présent	Futur	Imparfait	Conditionnel	Impératif
je / j'	dois	devrai	devais	devrais—	
tu	dois	devras	devais	devrais	– –
il / elle	doit	devra	devait	devrait	– –
nous	devons	devrons	devions	devrions	– –
vous	devez	devrez	deviez	devriez	
ils / elles	doivent	devront	devaient	devraient	

emmener
part. présent : **emmenant**
part. passé : **emmené**

	Présent	Futur	Imparfait	Conditionnel	Impératif
je / j'	emmène	emmènerai	emmenais	emmènerais	
tu	emmènes	emmèneras	emmenais	emmènerais	
il / elle	emmène	emmènera	emmenait	emmènerait	emmène
nous	emmenons	emmènerons	emmenions	emmènerions	emmenons
vous	emmenez	emmènerez	emmeniez	emmèneriez	emmenez
ils / elles	emmènent	emmèneront	emmenaient	emmèneraient	

ennuyer
part. présent : **ennuyant**
part. passé : **ennuyé**

	Présent	Futur	Imparfait	Conditionnel	Impératif
je / j'	ennuie	ennuierai	ennuyais	ennuierais	
tu	ennuies	ennuieras	ennuyais	ennuierais	
il / elle	ennuie	ennuiera	ennuyait	ennuierait	ennuie
nous	ennuyons	ennuierons	ennuyions	ennuierions	ennuyons
vous	ennuyez	ennuierez	ennuyiez	ennuieriez	ennuyez
ils / elles	ennuient	ennuieront	ennuyaient	ennuieraient	

entendre
part. présent : **entendant**
part. passé : **entendu**

	Présent	Futur	Imparfait	Conditionnel	Impératif
je / j'	entends	entendrai	entendais	entendrais	
tu	entends	entendras	entendais	entendrais	entends
il / elle	entend	entendra	entendait	entendrait	
nous	entendons	entendrons	entendions	entendrions	entendons
vous	entendez	entendrez	entendiez	entendriez	entendez
ils / elles	entendent	entendront	entendaient	entendraient	

espérer
part. présent : **espérant**
part. passé : **espéré**

	Présent	Futur	Imparfait	Conditionnel	Impératif
je / j'	espère	espérerai	espérais	espérerais	
tu	espères	espéreras	espérais	espérerais	espère
il / elle	espère	espérera	espérait	espérerait	
nous	espérons	espérerons	espérions	espérerions	espérons
vous	espérez	espérerez	espériez	espéreriez	espérez
ils / elles	espèrent	espéreront	espéraient	espéreraient	

éteindre
part. présent : **éteignant**
part. passé : **éteint**

	Présent	Futur	Imparfait	Conditionnel	Impératif
je / j'	éteins	éteindrai	éteignais	éteindrais	
tu	éteins	éteindras	éteignais	éteindrais	éteins
il / elle	éteint	éteindra	éteignait	éteindrait	
nous	éteignons	éteindrons	éteignions	éteindrions	éteignons
vous	éteignez	éteindrez	éteigniez	éteindriez	éteignez
ils / elles	éteignent	éteindront	éteignaient	éteindraient	

faire
part. présent : **faisant**
part. passé : **fait**

	Présent	Futur	Imparfait	Conditionnel	Impératif
je / j'	fais	ferai	faisais	ferais	
tu	fais	feras	faisais	ferais	fais
il / elle	fait	fera	faisait	ferait	
nous	faisons	ferons	faisions	ferions	faisons
vous	faites	ferez	faisiez	feriez	faites
ils / elles	font	feront	faisaient	feraient	

mettre
part. présent : **mettant**
part. passé : **mis**

	Présent	Futur	Imparfait	Conditionnel	Impératif
je / j'	mets	mettrai	mettais	mettrais	
tu	mets	mettras	mettais	mettrais	mets
il / elle	met	mettra	mettait	mettrait	
nous	mettons	mettrons	mettions	mettrions	mettons
vous	mettez	mettrez	mettiez	mettriez	mettez
ils / elles	mettent	mettront	mettaient	mettraient	

nettoyer
part. présent : **nettoyant**
part. passé : **nettoyé**

	Présent	Futur	Imparfait	Conditionnel	Impératif
je / j'	nettoie	nettoierai	nettoyais	nettoierais	
tu	nettoies	nettoieras	nettoyais	nettoierais	nettoie
il / elle	nettoie	nettoiera	nettoyait	nettoierait	
nous	nettoyons	nettoierons	nettoyions	nettoierions	nettoyons
vous	nettoyez	nettoierez	nettoyiez	nettoieriez	nettoyez
ils / elles	nettoient	nettoieront	nettoyaient	nettoieraient	

offrir
part. présent : **offrant**
part. passé : **offert**

	Présent	Futur	Imparfait	Conditionnel	Impératif
je / j'	offre	offrirai	offrais	offrirais	
tu	offres	offriras	offrais	offrirais	offre
il / elle	offre	offrira	offrait	offrirait	
nous	offrons	offrirons	offrions	offririons	offrons
vous	offrez	offrirez	offriez	offririez	offrez
ils / elles	offrent	offriront	offraient	offriraient	

pouvoir
part. présent : **pouvant**
part. passé : **pu**

	Présent	Futur	Imparfait	Conditionnel	Impératif
je / j'	peux	pourrai	pouvais	pourrais	
tu	peux	pourras	pouvais	pourrais	– –
il / elle	peut	pourra	pouvait	pourrait	
nous	pouvons	pourrons	pouvions	pourrions	– –
vous	pouvez	pourrez	pouviez	pourriez	– –
ils / elles	peuvent	pourront	pouvaient	pourraient	

prendre
part. présent : **prenant**
part. passé : **pris**

	Présent	Futur	Imparfait	Conditionnel	Impératif
je / j'	prends	prendrai	prenais	prendrais	
tu	prends	prendras	prenais	prendrais	prends
il / elle	prend	prendra	prenait	prendrait	
nous	prenons	prendrons	prenions	prendrions	prenons
vous	prenez	prendrez	preniez	prendriez	prenez
ils / elles	prennent	prendront	prenaient	prendraient	

ralentir
part. présent : **ralentissant**
part. passé : **ralenti**

	Présent	Futur	Imparfait	Conditionnel	Impératif
je / j'	ralentis	ralentirai	ralentissais	ralentirais	
tu	ralentis	ralentiras	ralentissais	ralentirais	ralentis
il / elle	ralentit	ralentira	ralentissait	ralentirait	
nous	ralentissons	ralentirons	ralentissions	ralentirions	ralentissons
vous	ralentissez	ralentirez	ralentissiez	ralentiriez	ralentissez
ils / elles	ralentissent	ralentiront	ralentissaient	ralentiraient	

rire
part. présent : **riant**
part. passé : **ri**

	Présent	Futur	Imparfait	Conditionnel	Impératif
je / j'	ris	rirai	riais	rirais	
tu	ris	riras	riais	rirais	ris
il / elle	rit	rira	riait	rirait	
nous	rions	rirons	riions	ririons	rions
vous	riez	rirez	riiez	ririez	riez
ils / elles	rient	riront	riaient	riraient	

suivre
part. présent : **suivant**
part. passé : **suivi**

	Présent	Futur	Imparfait	Conditionnel	Impératif
je / j'	suis	suivrai	suivais	suivrais	
tu	suis	suivras	suivais	suivrais	suis
il / elle	suit	suivra	suivait	suivrait	
nous	suivons	suivrons	suivions	suivrions	suivons
vous	suivez	suivrez	suiviez	suivriez	suivez
ils / elles	suivent	suivront	suivaient	suivraient	

tenir
part. présent : **tenant**
part. passé : **tenu**

	Présent	Futur	Imparfait	Conditionnel	Impératif
je / j'	tiens	tiendrai	tenais	tiendrais	
tu	tiens	tiendras	tenais	tiendrais	tiens
il / elle	tient	tiendra	tenait	tiendrait	
nous	tenons	tiendrons	tenions	tiendrions	tenons
vous	tenez	tiendrez	teniez	tiendriez	tenez
ils / elles	tiennent	tiendront	tenaient	tiendraient	

venir
part. présent : **venant**
part. passé : **venu** *(avec être)*

	Présent	Futur	Imparfait	Conditionnel	Impératif
je / j'	viens	viendrai	venais	viendrais	
tu	viens	viendras	venais	viendrais	viens
il / elle	vient	viendra	venait	viendrait	
nous	venons	viendrons	venions	viendrions	venons
vous	venez	viendrez	veniez	viendriez	venez
ils / elles	viennent	viendront	venaient	viendraient	

vivre
part. présent : **vivant**
part. passé : **vécu**

	Présent	Futur	Imparfait	Conditionnel	Impératif
je / j'	vis	vivrai	vivais	vivrais	
tu	vis	vivras	vivais	vivrais	vis
il / elle	vit	vivra	vivait	vivrait	
nous	vivons	vivrons	vivions	vivrions	vivons
vous	vivez	vivrez	viviez	vivriez	vivez
ils / elles	vivent	vivront	vivaient	vivraient	

voir
part. présent : **voyant**
part. passé : **vu**

	Présent	Futur	Imparfait	Conditionnel	Impératif
je / j'	vois	verrai	voyais	verrais	
tu	vois	verras	voyais	verrais	vois
il / elle	voit	verra	voyait	verrait	
nous	voyons	verrons	voyions	verrions	voyons
vous	voyez	verrez	voyiez	verriez	voyez
ils / elles	voient	verront	voyaient	verraient	

vouloir
part. présent : **voulant**
part. passé : **voulu**

	Présent	Futur	Imparfait	Conditionnel	Impératif
je / j'	veux	voudrai	voulais	voudrais	
tu	veux	voudras	voulais	voudrais	– –
il / elle	veut	voudra	voulait	voudrait	
nous	voulons	voudrons	voulions	voudrions	– –
vous	voulez	voudrez	vouliez	voudriez	
ils / elles	veulent	voudront	voulaient	voudraient	– –

AUDIOPROGRAMME

Chapitre 1

Écoutez ! M. Deschamps ne se sent pas bien. Il téléphone à son médecin.

Réceptionniste :   *Cabinet du Docteur Pasquier, bonjour.*

M. Deschamps :   *Bonjour, ici Michel Deschamps. Je ne me sens pas bien. Est-ce que c'est possible d'avoir un rendez-vous avec le Dr Pasquier aujourd'hui ?*

Répondez !

Est-ce que M. Deschamps téléphone à son médecin ?	Oui, il lui téléphone.
Se sent-il bien ?	Non, il ne se sent pas bien.
Est-ce qu'il veut voir son patron ou son docteur ?	Il veut voir son docteur.

Écoutez !

M. Deschamps :   *Je ne me sens pas bien. Est-ce que c'est possible d'avoir un rendez-vous avec le Dr Pasquier aujourd'hui ?*

Réceptionniste :   *Ah, bonjour, M. Deschamps. Voyons … pas ce matin. Mais, le docteur peut vous recevoir à 15 h. Est-ce que ça vous convient ?*

M. Deschamps :   *À 15h ? Oui, je suis libre. Merci beaucoup, madame.*

Répondez !

Est-ce que M. Deschamps veut prendre rendez-vous avec le médecin ?	Oui, il veut prendre rendez-vous avec lui.
Est-ce que le docteur peut recevoir M. Deschamps ce matin ?	Non, il ne peut pas le recevoir ce matin.
Peut-il le recevoir à 9h ou à 15h ?	Il peut le recevoir à 15h.
M. Deschamps est libre à 15h, n'est-ce pas ?	Oui, il est libre à 15h.

Très bien ! Écoutez ! M. Deschamps est dans le cabinet du médecin.

Dr Pasquier :   *Alors, qu'est-ce qui ne va pas ?*

M. Deschamps :   *J'ai mal à la gorge et j'ai de la fièvre. J'ai pris ma température ce matin et j'ai 39.*

Dr Pasquier :   *Ah, alors voyons ça.*

Répondez !

Est-ce que M. Deschamps a mal à la tête ?	Non, il n'a pas mal à la tête.
Il a mal à la gorge, n'est-ce pas ?	Oui, il a mal à la gorge.
A-t-il aussi de la fièvre ?	Oui, il a aussi de la fièvre.
Est-ce qu'il a 41 ou 39 ?	Il a 39.
Comment ? Combien a-t-il ?	Il a 39.

Excellent ! Écoutez ! Le médecin examine M. Deschamps.

M. Deschamps :   *Alors docteur, qu'est-ce que j'ai ?*

Dr Pasquier :   Rien de grave, ne vous inquiétez pas ! Vous avez la grippe.

M. Deschamps :   La grippe ? Qu'est-ce que je dois faire ?

Dr Pasquier :   Vous devez rester chez vous pendant quelques jours et prendre des médicaments. Je vais vous faire une ordonnance.

Répondez !

Est-ce que le docteur a examiné M. Deschamps ?	Oui, il l'a examiné.
Est-ce que M. Deschamps a quelque chose de grave ?	Non, il n'a rien de grave.
Qu'est-ce qu'il a ? La grippe ?	Oui, il a la grippe.
M. Deschamps doit-il rester chez lui pendant quelques heures ou quelques jours ?	Il doit rester chez lui pendant quelques jours.
Est-ce qu'il doit prendre des médicaments ?	Oui, il doit prendre des médicaments.
Est-ce que le docteur va lui faire une ordonnance ?	Oui, il va lui faire une ordonnance.
Pardon ? Que va faire le docteur ?	Il va lui faire une ordonnance.

Bien ! Écoutez !

Dr Pasquier :   Voilà ! Prenez ces médicaments pendant huit jours, trois fois par jour, avant les repas.

M. Deschamps :   D'accord, docteur.

Répondez !

Est-ce que M. Deschamps prend des medicaments une fois ou trois fois par jour ?	Il en prend trois fois par jour.
Doit-il en prendre après les repas ?	Non, il ne doit pas en prendre après les repas.
Quand doit-il en prendre ?	Il doit en prendre avant les repas.

Excellent ! Écoutez !

M. Deschamps :   Quand est-ce que je pourrai reprendre le travail ? J'ai une réunion importante lundi.

Dr Pasquier :   Ce n'est pas un problème. Si vous vous reposez bien, vous irez beaucoup mieux dans deux ou trois jours.

M. Deschamps :   Très bien ! Au revoir docteur … et merci.

Répondez !

Est-ce que M. Deschamps veut reprendre le travail ?	Oui, il veut reprendre le travail.
Il doit travailler lundi, n'est-ce pas ?	Oui, il doit travailler lundi.
Où doit-il aller ?	Il doit aller à une réunion.

Si M. Deschamps se repose, est-ce qu'il
ira mieux ?   Oui, s'il se repose, il ira mieux.

Très bien !

Répétez !
M. Deschamps se repose.
Hier, il s'est reposé.

Je me couche à 23 h.
Hier, je me suis couché …   Hier, je me suis couchée à 23 h.

Les enfants se préparent pour l'école.
Hier, ils se …   Hier, ils se sont préparés pour l'école.

Monique se regarde dans la glace.
Hier, …   Hier, elle s'est regardée dans la glace.

Vous vous réveillez tard.
Hier, …   Hier, vous vous êtes réveillés tard.

Nous nous levons à 7 h.
Hier, …   Hier, nous nous sommes levés à 7 h.

Bien ! Et maintenant écoutez. Écoutez … et répétez !

– *Cabinet du Docteur Pasquier, bonjour.*

– *Bonjour, ici Michel Deschamps.*
  Je ne me sens pas bien.
  Est-ce que c'est possible d'avoir un rendez-vous
  avec le Dr Pasquier aujourd'hui ?

– *Ah, bonjour, M. Deschamps.*
  Voyons … pas ce matin.
  Mais, le docteur peut vous recevoir à 15h.
  Est-ce que ça vous convient ?

– *À 15h ? Oui, je suis libre.*
  Merci beaucoup, madame.

– *Alors, qu'est-ce qui ne va pas ?*

– *J'ai mal à la gorge et j'ai de la fièvre.*
  J'ai pris ma température ce matin
  et j'ai 39.

– *Ah, alors voyons ça.*

– *Alors docteur, qu'est-ce que j'ai ?*

– *Rien de grave, ne vous inquiétez pas !*
  Vous avez la grippe.

– *La grippe ? Qu'est-ce que je dois faire ?*

– *Vous devez rester chez vous pendant quelques jours*
  et prendre des médicaments.
  Je vais vous faire une ordonnance.

–   *Voilà ! Prenez ces médicaments pendant huit jours,*
    trois fois par jour, avant les repas.

–   *D'accord, docteur.*

–   *Quand est-ce que je pourrai reprendre le travail ?*
    J'ai une réunion importante lundi.

–   *Ce n'est pas un problème.*
    Si vous vous reposez bien,
    vous irez beaucoup mieux dans deux ou trois jours.

–   *Très bien ! Au revoir docteur … et merci.*

Parfait ! C'est très bien ! Voici la fin de ce chapitre. Voici la fin du chapitre 1. Merci …
et … au revoir.

Chapitre 2

Écoutez ! Valérie et Marc Lamy sont en vacances à Paris. Ils retournent à Bruxelles
demain après-midi. Ils ont acheté des places de théâtre pour ce soir, mais Marc ne
peut pas y aller parce qu'il est malade.

Valérie appelle son amie Sylvie Féraud à son bureau.

(DRIIIING!!)

> *Sylvie:* *Sylvie Féraud !*
>
> *Valérie:* *Bonjour Sylvie, c'est Valérie !*

Répondez !

Est-ce que Valérie et Marc sont encore à Paris ?	Oui, ils sont encore à Paris.
Est-ce qu'ils ont acheté des places de théâtre pour cet après-midi ou pour ce soir ?	Ils en ont acheté pour ce soir.
Marc ne peut pas aller au théâtre ce soir, n'est-ce pas ?	Non, il ne peut pas y aller ce soir.

Bien ! Écoutez !

> *Valérie:* *Bonjour Sylvie, c'est Valérie ! Comment vas-tu ?*
>
> *Sylvie:* *Salut, Valérie ! Bien, et toi ?*
>
> *Valérie:* *Ça va. Dis donc, qu'est-ce que tu fais ce soir ?*
>
> *Sylvie:* *Rien. Je ne sais pas … Je pensais peut-être regarder la télévision.*

Répondez !

Est-ce que Valérie a appelé Sylvie ?	Oui, elle l'a appelée.
Est-ce que la ligne était occupée ?	Non, elle n'était pas occupée.
Valérie et Sylvie ont pu se parler, n'est-ce pas ?	Oui, elles ont pu se parler.
Est-ce qu'elles se tutoient ?	Oui, elles se tutoient.

Est-ce que Valérie dit : « Qu'est-ce que vous faites ce soir ? »

Non, elle ne dit pas « Qu'est-ce que vous faites ce soir ? »

Elle dit : « Qu'est-ce que tu fais ce soir ? », n'est-ce pas ?

Oui, elle dit : « Qu'est-ce que tu fais ce soir ? »

Est-ce qu'elle dit : « Comment allez-vous ? »

Non, elle ne dit pas « Comment allez-vous ? »

Elle dit : « Comment vas-tu ? », n'est-ce pas ?

Oui, elle dit : « Comment vas-tu ? »

Répétez !
Elle ne dit pas « Comment allez-vous ? »
Elle dit : « Comment vas-tu ? »

Elle ne dit pas « Qu'est-ce que vous faites ? »
Elle dit …

Elle dit : « Qu'est-ce que tu fais ? »

Elle ne dit pas « Vous êtes. »
Elle dit …

Elle dit : « Tu es. »

Elle ne dit pas « Que voulez-vous ? »
Elle dit …

Elle dit : « Que veux-tu ? »

Elle ne dit pas « Quel est votre nom ? »
Elle dit …

Elle dit : « Quel est ton nom ? »

Elle ne dit pas « Je vous remercie. »
Elle dit …

Elle dit : « Je te remercie. »

Elle ne dit pas « Asseyez-vous. »
Elle dit …

Elle dit : « Assieds-toi. »

Bien ! Écoutez !

> Valérie : *Écoute, on devait aller au théâtre pour voir une pièce de Molière. Mais Marc ne se sent pas très bien et a décidé de se reposer. Alors j'ai pensé à toi. Si tu veux, on peut y aller ensemble.*
>
> Sylvie : *Ah, c'est gentil ! Merci, avec plaisir.*

Répondez !
Est-ce que Valérie et Marc devaient aller au théâtre ce soir ?

Oui, ils devaient y aller ce soir.

Mais, est-ce que Marc peut y aller ?

Non, il ne peut pas y aller.

Valérie demande à Sylvie si elle peut y aller, c'est ça ?

Oui, elle lui demande si elle peut y aller.

Très bien ! Écoutez !

> Valérie : *Si tu veux, on peut y aller ensemble.*
>
> Sylvie : *Ah, c'est gentil ! Merci, avec plaisir. À quelle heure ça commence ?*
>
> Valérie : *À huit heures et demie, au théâtre du Marais.*

Répondez !
Est-ce que Sylvie a accepté l'invitation
de Valérie ?   Oui, elle l'a acceptée.

Sylvie a accepté avec plaisir, n'est-ce pas ?   Oui, elle a accepté avec plaisir.

Est-ce que la pièce commence à midi
ou à huit heures et demie ?   Elle commence à huit heures et demie.

Ça commence à huit heures et demie,   Oui, ça commence à huit heures et demie,
au théâtre du Marais, n'est-ce pas ?   au théâtre du Marais.

Écoutez !

> Sylvie : *Bon … Après le travail, je dois rentrer chez moi. Si tu veux, on*
>   *peut se donner rendez-vous devant le théâtre.*
>
> Valérie : *Bon, d'accord, disons à huit heures moins le quart.*
>
> Sylvie : *Parfait. Et merci encore pour l'invitation.*
>
> Valérie : *De rien. À tout à l'heure !*
>
> Sylvie : *À ce soir. Au revoir.*

Répondez !
Est-ce que Sylvie et Valérie se sont   Non, elles ne se sont pas donné
donné rendez-vous au restaurant ?   rendez-vous au restaurant.

Où se sont-elles donné rendez-vous ?   Elles se sont donné rendez-vous au théâtre
                                                du Marais.

Elles se sont donné rendez-vous à huit   Oui, elles se sont donné rendez-vous à
heures moins le quart, n'est-ce pas ?   huit heures moins le quart.

Bien ! Et maintenant écoutez. Écoutez … et répétez !

– *Sylvie Féraud !*

– *Bonjour Sylvie, c'est Valérie ! Comment vas-tu ?*

– *Salut, Valérie ! Bien, et toi ?*

– *Ça va. Dis donc, qu'est-ce que tu fais ce soir ?*

– *Rien. Je ne sais pas …*
  Je pensais peut-être regarder la télévision.

– *Écoute, on devait aller au théâtre pour voir une pièce de Molière.*
  Mais Marc ne se sent pas très bien et a décidé de se reposer.
  Alors j'ai pensé à toi.
  Si tu veux, on peut y aller ensemble.

– *Ah, c'est gentil ! Merci, avec plaisir.*
  À quelle heure ça commence ?

– *À huit heures et demie, au théâtre du Marais.*

– *Bon … Après le travail, je dois rentrer chez moi.*
  Si tu veux, on peut se donner rendez-vous devant le théâtre.

– *Bon, d'accord, disons à huit heures moins le quart.*

–   *Parfait. Et merci encore pour l'invitation.*

–   *De rien. À tout à l'heure !*

–   *À ce soir. Au revoir.*

Parfait ! C'est très bien ! Eh bien ! Voici la fin de ce chapitre. Voici la fin du chapitre 2. Merci … et … au revoir !

Chapitre 3

Écoutez ! Christian Charleroi, un jeune homme de Québec, d'une trentaine d'années, est arrivé à Grenoble, où il va travailler pendant deux ans. Ce matin, il va à la banque.

L'employée :   *Bonjour monsieur, vous désirez ?*

Christian :   *Bonjour madame, j'aimerais ouvrir un compte.*

Répondez !

Est-ce que Christian est français ou canadien ?	Il est canadien.
Est-il de Paris ?	Non, il n'est pas de Paris.
D'où est-il ?	Il est de Québec.
Est-ce qu'il va travailler à Grenoble ?	Oui, il va travailler à Grenoble.
Où va-t-il ce matin, au travail ?	Non, il ne va pas au travail.
Il va à la banque, n'est-ce pas ?	Oui, il va à la banque.

Très bien ! Écoutez !

Christian :   *J'aimerais ouvrir un compte.*

L'employée :   *Bien monsieur. Avez-vous une pièce d'identité ?*

Christian :   *Oui, heu … je suis canadien, je viens de m'installer à Grenoble. J'ai mon passeport, ça va ?*

Répondez !

Est-ce que Christian parle avec une employée ?	Oui, il parle avec une employée.
Est-ce qu'il veut retirer de l'argent ?	Non, il ne veut pas retirer d'argent.
Que veut-il faire ?	Il veut ouvrir un compte.
Pour ouvrir un compte, est-ce qu'on a besoin d'une pièce d'identité ?	Oui, on en a besoin.
Pardon, pour ouvrir un compte, de quoi a-t-on besoin ?	On a besoin d'une pièce d'identité.

Excellent ! Écoutez !

Christian :   *… J'ai mon passeport, ça va ?*

L'employée :   *Oui, tout à fait. Il faut aussi remplir ces formulaires.*

Christian remplit les formulaires et les rend à l'employée.

L'employée: *Parfait ! Et combien voulez-vous déposer pour commencer ?*

> Christian : J'ai 3 000 dollars canadiens en chèques de voyage.
>
> L'employée : Bien, vous devez signer tous les chèques.

Répondez !

Est-ce que Christian a rempli les formulaires ?	Oui, il les a remplis.
Veut-il déposer de l'argent ?	Oui, il veut déposer de l'argent.
Veut-il déposer des dollars américains ?	Non, il ne veut pas déposer des dollars américains.
Que veut-il déposer ?	Il veut déposer des dollars canadiens.
A-t-il a des chèques de voyage ?	Oui, il a des chèques de voyage.
Qui doit signer les chèques, l'employée ou Christian ?	Christian doit les signer.

Bien ! Écoutez ! Quelques minutes plus tard, Christian donne les chèques signés à l'employée.

> Christian : Voilà … est-ce que je vais avoir un carnet de chèques et une carte bancaire ?
>
> L'employée : Vous avez un emploi ici, à Grenoble ?
>
> Christian : Oui, je viens de commencer il y a une semaine.

Répondez !

Est-ce que Christian a signé les chèques de voyage ?	Oui, il les a signés
À qui les a-t-il donnés ?	Il les a donnés à l'employée.
Est-ce que Christian veut seulement avoir un carnet de chèques ?	Non, il ne veut pas seulement avoir un carnet de chèques.
Veut-il aussi une carte bancaire ?	Oui, il veut aussi une carte bancaire.

Bien ! Écoutez !

> L'employée : Je suis désolée. Je ne peux pas vous commander de carnets de chèques avant le premier versement de votre salaire.
>
> Christian : D'accord. Je vais recevoir mon premier salaire à la fin du mois. Je voudrais aussi changer de l'argent.
>
> L'employée : Alors, il faut aller au guichet 5.
>
> Christian : Merci bien !
>
> L'employée : Je vous en prie. Au revoir, monsieur.

Répondez !

Christian a déposé de l'argent, n'est-ce pas ?	Oui, il a déposé de l'argent.
Est-ce qu'il a pu avoir un carnet de chèques ?	Non, il n'a pas pu avoir de carnet de chèques.
A-t-il déjà reçu son premier salaire ?	Non, il ne l'a pas encore reçu.

Quand va-t-il le recevoir, à la fin de la semaine ou à la fin du mois ?	Il va le recevoir à la fin du mois.
Veut-il aussi changer de l'argent ?	Oui, il veut aussi changer de l'argent.
Il doit aller au guichet 5 pour changer de l'argent, n'est-ce pas ?	Oui, il doit aller au guichet 5 pour changer de l'argent.

Répétez !

Christian veut déposer des dollars canadiens.	
Il veut en déposer.	
Il ne veut pas retirer de l'argent.	
Il ne veut pas …	Il ne veut pas en retirer.
Il a besoin d'une pièce d'identité.	
Il …	Il en a besoin.
Il ne peut pas avoir de carte bancaire.	
Il …	Il ne peut pas en avoir.
Il va recevoir des carnets de chèques.	
Il …	Il va en recevoir.

Bien ! Et maintenant, écoutez. Écoutez … et répétez !

– *Bonjour monsieur, vous désirez ?*

– *Bonjour madame, j'aimerais ouvrir un compte.*

– *Bien monsieur. Avez-vous une pièce d'identité ?*

– *Oui, heu … je suis canadien, je viens de m'installer à Grenoble, j'ai mon passeport, ça va ?*

– *Oui, tout à fait.*
  Il faut aussi remplir ces formulaires.

– *Parfait ! Et combien voulez-vous déposer pour commencer ?*

– *J'ai 3 000 dollars canadiens, en chèques de voyage.*

– *Bien, vous devez signer tous les chèques.*
  Voilà … est-ce que je vais avoir un carnet de chèques et une carte bancaire ?
  Vous avez un emploi ici, à Grenoble ?

– *Oui, je viens de commencer il y a une semaine.*

– *Je suis désolée.*
  Je ne peux pas vous commander de carnets de chèques
  avant le premier versement de votre salaire.

– *D'accord. Je vais recevoir mon premier salaire à la fin du mois.*
  Je voudrais aussi changer de l'argent.

– *Alors, il faut aller au guichet 5.*

– *Merci bien !*

– *Je vous en prie. Au revoir, monsieur.*

Parfait ! C'est très bien ! Eh bien ! Voici la fin de ce chapitre. Voici la fin du chapitre 3.
Merci … et … au revoir.

Chapitre 4

Écoutez ! Pierre Lambert, chef du personnel de la société BRUNET doit embaucher une nouvelle secrétaire pour le responsable du marketing. Donc, il a mis une annonce dans le journal. Parmi les nombreuses réponses qu'il a reçues, il en a choisi 5. Aujourd'hui, il a un entretien avec un des candidats, Catherine Perron.

>M. Lambert :   *Bonjour Mlle Perron, asseyez-vous, je vous prie.*
>
>Mlle Perron :   *Bonjour M. Lambert.*

Répondez !

Est-ce que M. Lambert doit embaucher une nouvelle secrétaire ?	Oui, il doit en embaucher une.
Est-ce qu'il a mis l'annonce dans un magazine ?	Non, il ne l'a pas mise dans un magazine.
Où l'a-t-il mise ?	Il l'a mise dans un journal.
A-t-il eu peu ou beaucoup de réponses ?	Il en a eu beaucoup.
Est-ce que Mlle Perron a répondu à l'annonce ?	Oui, elle y a répondu.
Est-ce que M. Lambert a un entretien avec Mlle Perron ?	Oui, il a un entretien avec elle.

Bien ! Écoutez !

>M. Lambert :   *Mlle Perron, pouvez-vous me dire en quoi consiste votre travail actuel ?*
>
>Mlle Perron :   *Je suis secrétaire d'une petite agence de publicité. Mon travail consiste à rédiger, taper le courrier, faire du classement, répondre au téléphone et accueillir les clients.*

Répondez !

Est-ce que Mlle Perron est directrice ?	Non, elle n'est pas directrice.
Quel est son travail ?	Elle est secrétaire.
Est-elle secrétaire d'une agence de voyages ou d'une agence de publicité ?	Elle est secrétaire d'une agence de publicité.
Est-ce qu'elle doit répondre au téléphone ?	Oui, elle doit répondre au téléphone.
Elle doit aussi accueillir les clients, n'est-ce-pas ?	Oui, elle doit aussi accueillir les clients.

Bien ! Écoutez !

>M. Lambert :   *Et pourquoi voulez-vous changer d'emploi ?*
>
>Mlle Perron :   *J'aime bien mon travail. Je suis à la recherche d'un poste avec plus de responsabilités où j'aurai la possibilité d'être plus en contact avec l'étranger.*

Répondez !

Est-ce que Mlle Perron aime bien son travail ?	Oui, elle l'aime bien.

Mais, est-ce qu'elle veut garder le même poste ?	Non, elle ne veut pas garder le même poste.
Elle est à la recherche d'un nouveau poste, n'est-ce-pas ?	Oui, elle est à la recherche d'un nouveau poste.
Est-ce qu'elle veut avoir plus ou moins de responsabilités ?	Elle veut avoir plus de responsabilités.
Elle a dit qu'elle voulait plus de responsabilités, n'est-ce pas ?	Oui, elle a dit qu'elle voulait plus de responsabilités.
Pardon, qu'est-ce qu'elle a dit ?	Elle a dit qu'elle voulait plus de responsabilités.

Très bien !

Répétez !
« Je veux plus de responsabilités. »
Elle a dit qu'elle voulait plus de responsabilités.

« J'aime mon travail. » Elle a dit qu'elle aimait …	Elle a dit qu'elle aimait son travail.
« Je travaille à Lyon. » Elle a dit …	Elle a dit qu'elle travaillait à Lyon.
« Je rédige le courrier. » Elle a dit …	Elle a dit qu'elle rédigeait le courrier.
« Je fais du classement. » Elle a dit …	Elle a dit qu'elle faisait du classement.
« Je cherche un autre emploi. » Elle a dit …	Elle a dit qu'elle cherchait un autre emploi.

Excellent ! Écoutez !

> M. Lambert : *Je vois sur votre C.V. que vous êtes également bilingue en anglais.*
>
> Mlle Perron *Oui, j'ai passé six mois à Londres comme stagiaire.*
>
> M. Lambert : *Vous travaillez sur ordinateur bien sûr ?*
>
> Mlle Perron : *Oui, je maîtrise Wordperfect et Excel et j'ai aussi déjà travaillé sur plusieurs logiciels de mise en page.*

Répondez !

Est-ce que Mlle Perron est bilingue ?	Oui, elle est bilingue.
A-t-elle passé six ans ou six mois à Londres ?	Elle y a passé six mois.
Elle travaille sur ordinateur, n'est-ce pas ?	Oui, elle travaille sur ordinateur.
Est-ce qu'elle maîtrise plusieurs logiciels ?	Oui, elle maîtrise plusieurs logiciels.

Bien ! Écoutez !

> M. Lambert : *Eh, bien, la personne que nous recherchons assistera le responsable du marketing. Elle devra gérer son emploi du temps, organiser ses déplacements et rédiger beaucoup de correspondance en anglais.*

AUDIOPROGRAMME

Ensuite M. Lambert a donné à Mlle Perron plus de détails sur le poste. À la fin de l'entretien, il lui a demandé de revenir pour un deuxième entretien avec le responsable du marketing.

Répondez !

Est-ce que la nouvelle secrétaire assistera le responsable du personnel ?	Non, elle n'assistera pas le responsable du personnel.
Qui assistera-t-elle ?	Elle assistera le responsable du marketing.
Devra-t-elle gérer son emploi du temps ?	Oui, elle devra gérer son emploi du temps.
Elle organisera aussi ses déplacements, n'est-ce pas ?	Oui, elle organisera aussi ses déplacements.
Est-ce que M. Lambert a demandé à Mlle Perron de revenir ?	Oui, il lui a demandé de revenir.
Il lui a demandé de revenir pour un deuxième entretien, n'est-ce pas ?	Oui, il lui a demandé de revenir pour un deuxième entretien.

Bien ! Et maintenant écoutez. Écoutez … et répétez !

– *Bonjour Mlle Perron, asseyez-vous, je vous prie.*

– *Bonjour M. Lambert.*

– *Mlle Perron, pouvez-vous me dire en quoi consiste votre travail actuel ?*

– *Je suis secrétaire d'une petite agence de publicité.*
  Mon travail consiste à rédiger,
  taper le courrier, faire du classement,
  répondre au téléphone et accueillir les clients.

– *Et pourquoi voulez-vous changer d'emploi ?*

– *J'aime bien mon travail.*
  Je suis à la recherche d'un poste avec plus de responsabilités
  où j'aurai la possibilité d'être plus en contact avec l'étranger.

– *Je vois sur votre C.V.*
  que vous êtes également bilingue en anglais.

– *Oui, j'ai passé six mois à Londres comme stagiaire.*

– *Vous travaillez sur ordinateur bien sûr ?*

– *Oui, je maîtrise Wordperfect et Excel*
  et j'ai aussi déjà travaillé sur plusieurs logiciels de mise en page.

– *Eh bien, la personne que nous recherchons*
  assistera le responsable du marketing.
  Elle devra gérer son emploi du temps,
  organiser ses déplacements
  et rédiger beaucoup de correspondance en anglais.

Parfait ! C'est très bien ! Eh bien ! Nous avons maintenant terminé ce chapitre. Voici la fin du chapitre 4. Merci … et … au revoir.

Chapitre 5

Écoutez ! Aujourd'hui dimanche, c'est le jour de la finale-messieurs des Internationaux de tennis, au stade Roland-Garros à Paris. En arrivant à l'entrée du stade, Pascal Auger a vu son amie Sylvie Féraud.

> *Pascal :*   *Sylvie ! Quelle surprise !*
>
> *Sylvie :*   *Salut Pascal ! Ah ça alors ! Viens, on se met vite à la queue ! …*
>
> *Pascal :*   *Oui, allons-y !*

Répondez !

Est-ce que c'est le jour de la finale ?	Oui, c'est le jour de la finale.
Est-ce que c'est une finale de football ?	Non, ce n'est pas une finale de football.
C'est le jour de la finale de quel sport ?	C'est le jour de la finale de tennis.
Est-ce que Pascal voit son amie au stade ?	Oui, il la voit au stade.
Est-ce qu'il la voit en partant du stade ?	Non, il ne la voit pas en partant du stade.
Il la voit en arrivant, n'est-ce pas ?	Oui, il la voit en arrivant.
Comment ? Quand voit-il Sylvie ?	Il la voit en arrivant.

Très bien !

Répétez !

Il arrive.	
Il la voit en arrivant.	
Il fait la queue.	
Il la voit …	Il la voit en faisant la queue.
Il attend le match.	
Il …	Il la voit en attendant le match.
Il boit un coca.	
Il …	Il la voit en buvant un coca.
Il mange une glace.	
Il …	Il la voit en mangeant une glace.

Bien ! Écoutez !

> *Sylvie :*   *Alors, qu'est-ce que tu fais là ? Je ne savais pas que tu aimais le tennis. Comment tu as eu un billet pour la finale ?*
>
> *Pascal :*   *J'ai eu de la chance. Un collègue est tombé malade et il m'a donné le sien.*
>
> *Sylvie :*   *Ça alors !*

Répondez !

Est-ce que Pascal a un billet ?	Oui, il a en a un.
L'a-t-il acheté ?	Non, il ne l'a pas acheté.
Quelqu'un lui a donné son billet, n'est-ce pas ?	Oui, quelqu'un lui a donné son billet.

Qui lui a donné le billet, son frère ou un collègue ?

Un collègue lui a donné le billet.

Pourquoi ? Est-il tombé malade ?

Oui, il est tombé malade.

Il lui a donné le billet parce qu'il est tombé malade, c'est ça ?

Oui, il lui a donné le billet parce qu'il est tombé malade.

Bien ! Écoutez !

> *Sylvie :* *Moi j'ai dû payer une fortune. Et encore ! J'ai vu des gens dans le parking qui vendaient des billets à cinq fois le prix officiel. C'est fou !*
>
> *Pascal :* *Dis-moi Sylvie, tu étais là pour les demi-finales vendredi ?*
>
> *Sylvie :* *Oui, j'étais là. C'était super !*
>
> *Pascal :* *C'est vrai ! Moi, je les ai vues à la télé.*

Répondez !

Est-ce que le billet de Sylvie a coûté cher ?

Oui, il a coûté cher.

Elle a dû payer une fortune, n'est-ce pas ?

Oui, elle a dû payer une fortune.

Est-ce qu'elle était dans le stade pour les demi-finales ?

Oui, elle y était pour les demi-finales.

Est-ce que Pascal y était aussi ?

Non, il n'y était pas.

Mais, il les a vues, n'est-ce pas ?

Oui, il les a vues.

Où est-ce qu'il les a vues ?

Il les a vues à la télévision.

Excellent ! Écoutez !

Après avoir fait la queue pendant une demi-heure, les deux amis commencent à avancer.

> *Pascal :* *Ah, ça y est ! On va pouvoir entrer.*
>
> *Sylvie :* *Oh, tu sais, ce n'est pas si terrible. La semaine dernière je suis allée à un concert et j'ai dû attendre plus d'une heure.*
>
> *Pascal :* *Dis Sylvie, si on a encore le temps avant le match, on va prendre quelque chose à boire ?*
>
> *Sylvie :* *Oui, bonne idée !*

Répondez !

Est-ce que la queue commence à avancer ?

Oui, elle commence à avancer.

Est-ce qu'ils ont attendu deux heures ou une demi-heure ?

Ils ont attendu une demi-heure.

Et maintenant, est-ce que Pascal et Sylvie entrent dans le stade ?

Oui, ils entrent dans le stade.

Alors, après avoir attendu, ils entrent, n'est-ce pas ?

Oui, après avoir attendu, ils entrent.

Très bien !

Répétez !
Ils attendent le match.
Après avoir attendu le match …

Ils boivent quelque chose.
Après avoir …   Après avoir bu quelque chose …

Ils arrivent au stade.
Après …   Après être arrivés au stade …

Ils mangent un sandwich.
Après …   Après avoir mangé un sandwich …

Ils regardent le match.
Après …   Après avoir regardé le match …

Ils sortent du stade.
Après …   Après être sortis du stade …

Ils montent dans le bus.
Après …   Après être montés dans le bus …

Bien ! Et maintenant écoutez. Écoutez … et répétez !

–   *Sylvie ! Quelle surprise !*

–   *Salut Pascal ! Ah ça alors !*
    Viens, on se met vite à la queue ! …

–   *Oui, allons-y !*

–   *Alors, qu'est-ce que tu fais là ?*
    Je ne savais pas que tu aimais le tennis.
    Comment tu as eu un billet pour la finale ?

–   *J'ai eu de la chance.*
    Un collègue est tombé malade et il m'a donné le sien.

–   *Ça alors ! Moi j'ai dû payer une fortune.*
    Et encore ! J'ai vu des gens dans le parking
    qui vendaient des billets à cinq fois le prix officiel.
    C'est fou !

–   *Dis-moi Sylvie, tu étais là pour les demi-finales vendredi ?*

–   *Oui, j'étais là.*
    C'était super !

–   *C'est vrai ! Moi, je les ai vues à la télé.*

–   *Ah, ça y est ! On va pouvoir entrer.*

–   *Oh, tu sais, ce n'est pas si terrible.*
    La semaine dernière je suis allée à un concert
    et j'ai dû attendre plus d'une heure.

–   *Dis Sylvie, si on a encore le temps avant le match,*
    on va prendre quelque chose à boire ?

–   *Oui, bonne idée !*

Parfait ! C'est très bien ! Eh bien ! Ce chapitre est maintenant terminé. Voici la fin du chapitre 5. Merci … au revoir et à bientôt.

Chapitre 6

Écoutez ! Joëlle Fournier et Philippe Giroux se rencontrent au supermarché.

Joëlle : Bonjour, Philippe. Comment vas-tu ?

Philippe : Bien et toi ?

Joëlle : Un peu fatiguée. Je meurs d'envie de partir en vacances.

Philippe : À propos de vacances, nous partons bientôt aux sports d'hiver.

Répondez !

Joëlle et Philippe parlent-ils de travail ou de vacances ?

Ils parlent de vacances.

Est-ce que Philippe part bientôt en vacances ?

Oui, il part bientôt en vacances.

Est-ce qu'il ira à la mer ou à la montagne ?

Il ira à la montagne.

Il partira aux sports d'hiver, n'est-ce pas ?

Oui, il partira aux sports d'hiver.

Très bien ! Écoutez !

Joëlle : Dans quelle station allez-vous ?

Philippe : À Courchevel. On est sûr d'avoir de la neige dans cette région.

Joëlle : Tes enfants savent skier ?

Philippe : Oh tu sais, ils se débrouillent.

Répondez !

Est-ce que Philippe ira à St Moritz ?

Non, il n'ira pas à St Moritz.

Où ira-t-il ?

Il ira à Courchevel.

Courchevel est une station de ski en France, n'est-ce pas ?

Oui, Courchevel est une station de ski en France.

Est-ce que les enfants de Philippe savent bien skier ?

Non, ils ne savent pas bien skier.

Ils se débrouillent, c'est ça ?

Oui, ils se débrouillent.

Bien ! Écoutez !

Joëlle : Tes enfants savent skier ?

Philippe : Oh tu sais, ils se débrouillent. Nous sommes allés à Val d'Isère l'année dernière et ils ont pris des cours tous les matins. Ils ont tellement aimé que nous avons décidé de retourner skier cette année.

Répondez !

Est-ce que les enfants sont allés à Courchevel ou à Val d'Isère ?

Ils sont allés à Val d'Isère.

Est-ce que les enfants ont pris des cours ?

Oui, ils en ont pris.

Les ont-ils pris tous les après-midi ou tous les matins ?

Ils les ont pris tous les matins.

Est-ce qu'ils ont décidé de retourner skier, cette année ?

Oui, ils ont décidé de retourner skier, cette année.

Excellent ! Écoutez !

> Joëlle : *Vous allez à l'hôtel ?*
>
> Philippe : *Non, on a eu de la chance. J'ai vu une annonce dans le journal l'été dernier pour louer un studio qui était disponible juste au moment où on voulait partir.*
>
> *On n'a pas hésité, c'est juste au pied des pistes avec une vue sensationnelle. Et toi ? Tu vas skier toi aussi ?*
>
> Joëlle : *Non, les sports d'hiver ne m'ont jamais attirée. En plus, je n'aime pas le froid. C'est pour ça que je prends toujours mes vacances au soleil.*

Répondez !

Est-ce que Joëlle aime aussi les sports d'hiver ?	Non, elle ne les aime pas.
Elle a dit qu'elle préférait prendre ses vacances au soleil, c'est ça ?	Oui, elle a dit qu'elle préférait prendre ses vacances au soleil.
A-t-elle dit qu'elle n'aimait pas le froid ?	Oui, elle a dit qu'elle n'aimait pas le froid.

Excellent !

Répétez !

« Je n'aime pas le froid. » Elle a dit qu'elle n'aimait pas le froid.	
« Je prends mes vacances au soleil. » Elle a dit qu'elle …	Elle a dit qu'elle prenait ses vacances au soleil.
« Je ne veux pas aller skier. » Elle a dit …	Elle a dit qu'elle ne voulait pas aller skier.
« Les sports d'hiver ne m'attirent pas. » Elle a dit …	Elles a dit que les sports d'hiver ne l'attiraient pas.
« Je vais à la mer. » Elle a dit …	Elle a dit qu'elle allait à la mer.

Bien ! Écoutez !

> Philippe : *Tu sais déjà où tu vas partir ?*
>
> Joëlle : *Je pars dans un club à la Martinique. J'ai trouvé un forfait intéressant.*
>
> Philippe : *Génial ! Quand pars-tu ?*
>
> Joëlle : *Le 15 avril, pour huit jours.*
>
> Phillippe : *Combien ça t'a coûté ?*
>
> Joëlle : *7 500F.*
>
> Philippe : *7 500. Pas mal. Y compris l'avion ?*
>
> Joëlle : *Oui, bien sûr.*

Répondez !

Est-ce que Joëlle ira aussi à Courchevel ?	Non, elle n'ira pas à Courchevel.
Alors, où ira-t-elle ?	Elle ira à la Martinique.

Combien de temps va-t-elle y passer,
8 semaines ou 8 jours ?

Elle va y passer 8 jours.

Elle a trouvé un forfait intéressant,
n'est-ce pas ?

Oui, elle en a trouvé un.

Bien ! Écoutez !

> *Joëlle :* *Et ils offrent toutes sortes d'activités : ski nautique, plongée sous-marine, tennis…*
>
> *Philippe :* *C'est fantastique. Je vais y penser pour l'année prochaine.*
>
> *Joëlle :* *Tu sais, ils ont aussi des forfaits intéressants pour les familles.*
>
> *Philippe :* *Bon, je vais me renseigner.*

Répondez !

Est-ce qu'il y a aussi des forfaits pour les familles ?

Oui, il y a aussi des forfaits pour les familles.

Est-ce que ça intéresse Philippe ?

Oui, ça l'intéresse.

Va-t-il y penser pour cette année ?

Non, il ne va pas y penser pour cette année.

Il va y penser pour l'année prochaine, n'est-ce pas ?

Oui, il va y penser pour l'année prochaine.

Bien ! Et maintenant écoutez. Écoutez … et répétez !

– *Bonjour, Philippe. Comment vas-tu ?*

– *Bien et toi ?*

– *Un peu fatiguée.*
  Je meurs d'envie de partir en vacances.

– *À propos de vacances,*
  nous partons bientôt aux sports d'hiver.

– *Dans quelle station allez-vous ?*

– *À Courchevel.*
  On est sûr d'avoir de la neige dans cette région.

– *Tes enfants savent skier ?*

– *Oh tu sais, ils se débrouillent.*
  Nous sommes allés à Val d'Isère l'année dernière
  et ils ont pris des cours tous les matins.
  Ils ont tellement aimé
  que nous avons décidé de retourner skier cette année.

– *Vous allez à l'hôtel ?*

– *Non, on a eu de la chance.*
  J'ai vu une annonce dans le journal l'été dernier
  pour louer un studio qui était disponible
  juste au moment où on voulait partir.
  On n'a pas hésité, c'est juste au pied des pistes avec une vue sensationnelle.
  Et toi ? Tu vas skier toi aussi ?

- *Les sports d'hiver ne m'ont jamais attirée.*
  En plus, je n'aime pas le froid.
  C'est pour ça que je prends toujours mes vacances au soleil.
- *Tu sais déjà où tu vas partir ?*
- *Je pars dans un club à la Martinique.*
  J'ai trouvé un forfait intéressant.
- *Génial ! Quand pars-tu ?*
- *Le 15 avril, pour huit jours.*
- *Combien ça t'a coûté ?*
- *7 500F.*
- *7 500. Pas mal.*
  Y compris l'avion ?
- *Oui, bien sûr. Et ils offrent toutes sortes d'activités :*
  ski nautique, plongée sous-marine, tennis …
- *C'est fantastique.*
- *Je vais y penser pour l'année prochaine.*
- *Tu sais, ils ont aussi des forfaits intéressants pour les familles.*
- *Bon, je vais me renseigner.*

Parfait ! C'est très bien ! Eh bien ! Nous voici à la fin de ce chapitre. Nous venons de finir le chapitre 6. Merci … et … à bientôt.

Chapitre 7

Écoutez ! Catherine Perron est à Paris. Elle cherche un appartement depuis une semaine. Après avoir regardé les petites annonces dans le journal, elle en a choisi deux qui lui plaisaient. Elle téléphone à l'un des numéros.

Propriétaire A : *Allô !*

Catherine : *Bonjour, monsieur. Je vous appelle au sujet de l'annonce …*

Répondez !

Est-ce que Catherine cherche une maison ?	Non, elle ne cherche pas une maison.
Qu'est-ce qu'elle cherche ?	Elle cherche un appartement.
A-t-elle regardé les petites annonces ?	Oui, elle les a regardées.
Et maintenant elle téléphone aux propriétaires, n'est-ce pas ?	Oui, maintenant elle téléphone aux propriétaires.

Écoutez !

Catherine : *Bonjour, monsieur. Je vous appelle au sujet de l'annonce …*

Propriétaire A: *Je suis désolé madame, mais l'appartement est déjà loué. J'ai donné les clés il y a une heure.*

Catherine : *Oh c'est dommage ! Merci quand même. Au revoir, monsieur.*

Répondez !

Est-ce que cet appartement est libre ?

Non, il n'est pas libre.

Est-il déjà loué ?

Oui, il est déjà loué.

Est-ce que le propriétaire a donné les clés hier ou il y a une heure ?

Il les a données il y a une heure.

Écoutez ! Catherine fait le deuxième numéro : Un trois-pièces dans le XVème arrondissement.

> *Propriétaire B : Oui ?*
>
> *Catherine: Bonjour monsieur. J'ai vu votre annonce dans le journal. Est-ce que l'appartement est toujours disponible ?*
>
> *Propriétaire B : Oui, mais il y a déjà quelques personnes qui l'ont vu et qui sont intéressées.*

Répondez !

Est-ce que Catherine appelle pour une autre annonce ?

Oui, elle appelle pour une autre annonce.

Cet appartement est encore disponible ou déjà loué ?

Il est encore disponible.

Est-ce que quelques personnes l'ont déjà vu ?

Oui, quelques personnes l'ont déjà vu.

Elles l'ont vu et elles sont intéressées, n'est-ce pas ?

Oui, elles l'ont vu et elles sont intéressées.

Écoutez !

> *Catherine : Combien fait le loyer ?*
>
> *Propriétaire B : 7 500F, charges comprises.*
>
> *Catherine : Pouvez vous me dire comment est l'appartement ?*
>
> *Propriétaire B : C'est un trois-pièces avec une chambre, un grand salon et une salle à manger.*

Répondez !

Est-ce que le propriétaire décrit l'appartement à Catherine ?

Oui, il lui décrit l'appartement.

Est-ce que c'est un quatre-pièces ?

Non, ce n'est pas un quatre-pièces.

C'est un trois-pièces, alors ?

Oui, c'est un trois-pièces.

Est-ce que le trois-pièces a un petit ou un grand salon ?

Il a un grand salon.

A-t-il aussi une salle à manger ?

Oui, il a aussi une salle à manger.

Écoutez !

> *Propriétaire B : Il y a aussi un petit balcon. C'est au deuxième étage.*
>
> *Catherine : Ça a l'air intéressant.*
>
> *Propriétaire B : Voudriez-vous voir l'appartement ?*

Catherine :	Oui, quand est-ce que je pourrais le visiter ?
Propriétaire B :	Disons, ce soir à 18h ? Ça vous convient ?
Catherine :	Oui, c'est bon.

Répondez !

Est-ce que l'appartement est au premier ou au deuxième étage ?	Il est au deuxième étage.
Est-ce que Catherine veut le voir ?	Oui, elle veut le voir.
Est-ce qu'elle peut le voir maintenant ?	Non, elle ne peut pas le voir maintenant.
Elle a dit qu'elle pourrait le visiter ce soir, n'est-ce pas ?	Oui, elle a dit qu'elle pourrait le visiter ce soir.
Pardon, qu'est-ce qu'elle a dit ?	Elle a dit qu'elle pourrait le visiter ce soir.

Répétez !

« Elle pourra le visiter ce soir. »
Elle a dit qu'elle pourrait le visiter ce soir.

« Elle viendra à 18h. » Elle a dit qu'elle …	Elle a dit qu'elle viendrait à 18h.
« Elle regardera l'appartement. » Elle a dit …	Elle a dit qu'elle regarderait l'appartement.
« Elle montera au deuxième étage. » Elle …	Elle a dit qu'elle monterait au deuxième étage.
« Elle n'arrivera pas en retard. » Elle …	Elle a dit qu'elle n'arriverait pas en retard.

Écoutez !

Catherine :	Oui, c'est bon. C'est à quelle adresse ?
Propriétaire B :	C'est 3 rue Leriche. Savez-vous où c'est ?
Catherine :	Non, pas exactement. Pourriez-vous me dire comment y aller ?
Propriétaire B :	C'est près de la place de la Porte de Versailles. Prenez le métro direction Mairie d'Issy et descendez à la station Vaugirard. La rue Leriche est la deuxième rue à gauche quand vous sortez de la station. L'immeuble est en face de la pharmacie. Mon nom est Doret.
Catherine :	Très bien. Je pense que je trouverai. Alors à ce soir, 18h.
Propriétaire B :	Au revoir, madame.

Répondez !

Est-ce que le propriétaire a donné l'adresse de l'appartement à Catherine ?	Oui, il lui a donné l'adresse de l'appartement.
Est-ce que Catherine sait comment y aller ?	Non, elle ne sait pas comment y aller.
Alors, le propriétaire lui a dit comment y aller, n'est-ce pas ?	Oui, il lui a dit comment y aller.

Bien ! Et maintenant écoutez. Écoutez … et répétez !

– *Allô !*

– *Bonjour, monsieur. Je vous appelle au sujet de l'annonce …*

– *Je suis désolé madame,*
  mais l'appartement est déjà loué.
  J'ai donné les clés il y a une heure.

– *Oh c'est dommage !*
  Merci quand même. Au revoir monsieur.

– *Bonjour monsieur. J'ai vu votre annonce dans le journal.*
  Est-ce que l'appartement est toujours disponible ?

– *Oui, mais il y a déjà quelques personnes*
  qui l'ont vu et qui sont intéressées.

– *Combien fait le loyer ?*

– *7 500F, charges comprises.*

– *Pouvez-vous me dire comment est l'appartement ?*

– *C'est un trois-pièces avec une chambre,*
  un grand salon et une salle à manger.
  Il y a aussi un petit balcon.
  C'est au deuxième étage.

– *Ça a l'air intéressant.*

– *Voudriez-vous voir l'appartement ?*

– *Oui, quand est-ce que je pourrais le visiter ?*

– *Disons, ce soir à 18h ?*
  Ça vous convient ?

– *Oui, c'est bon. C'est à quelle adresse ?*

– *C'est 3 rue Leriche.*
  Savez-vous où c'est ?

– *Non, pas exactement.*
  Pourriez-vous me dire comment y aller ?

– *C'est près de la place de la Porte de Versailles.*
  Prenez le métro direction Mairie d'Issy
  et descendez à la station Vaugirard.
  La rue Leriche est la deuxième rue à gauche
  quand vous sortez de la station.
  L'immeuble est en face de la pharmacie.
  Mon nom est Doret.

– *Très bien. Je pense que je trouverai.*
  Alors à ce soir, 18h.

– *Au revoir, madame.*

Parfait ! C'est très bien ! Eh bien ! Espérons que l'appartement plaira à Catherine.
Voici la fin de ce chapitre. Voici la fin du chapitre 7. Merci … et … au revoir.

Chapitre 8

Écoutez ! Éric et Annie Simonot aiment beaucoup le jazz. Cette année les deux Parisiens ont décidé d'aller au célèbre Festival de Jazz de Montreux pendant leurs vacances en Suisse.

> *Éric :* *Annie, as-tu reçu la brochure du festival ?*
>
> *Annie :* *Oui, elle est là. Regarde ce qu'il y a à partir du 6 juillet.*

Répondez !

Est-ce que Éric et Annie aiment beaucoup le jazz ?	Oui, ils l'aiment beaucoup.
Comment ? Quel genre de musique aiment-ils ?	Ils aiment le jazz.
Est-ce qu'il y un célèbre festival de jazz à Montreux ?	Oui, il y a un célèbre festival de jazz à Montreux.
Est-ce que les Simonot ont décidé d'aller au festival ?	Oui, ils ont décidé d'y aller.
Regardent-ils le programme des concerts ?	Oui, ils regardent le programme des concerts.
Le regardent-ils dans un journal ou dans une brochure ?	Ils le regardent dans une brochure.

Bien ! Écoutez !

> *Éric :* *Attends … Ah ! Il y a un concert de « Rock and Blues » et un concert de musique latino-américaine le 6. Génial ! C'est juste le jour de notre arrivée. Et le 7, c'est du « Gospel ».*
>
> *Annie :* *Super ! Une collègue m'a dit qu'elle était allée au concert de « Gospel » l'année dernière, et qu'elle avait adoré.*

Répondez !

Est-ce qu'il y a différents genres de musique au festival ?	Oui, il y a différents genres de musique au festival.
Y-a-t-il aussi de la musique classique ?	Non, il n'y a pas de musique classique.
Mais, il y a du gospel, n'est-ce pas ?	Oui, il y a du gospel.
Est-ce que le concert de gospel était bon ou mauvais l'année dernière ?	Il était bon.
Une collègue d'Annie y est allée, n'est-ce pas ?	Oui, une collègue d'Annie y est allée.
A-t-elle dit qu'elle avait aimé ?	Oui, elle a dit qu'elle avait aimé.
Pardon, qu'est-ce qu'elle a dit ?	Elle a dit qu'elle avait aimé.
Excellent !	

Répétez !

« J'ai aimé le concert. »

Elle a dit qu'elle avait aimé le concert.

« J'ai acheté des billets. »

Elle a dit …

Elle a dit qu'elle avait acheté des billets.

« Je suis allée au festival. »

Elle a dit …

Elle a dit qu'elle était allée au festival.

« Je suis arrivée à midi. »

Elle a dit …

Elle a dit qu'elle était arrivée à midi.

« J'ai reçu une brochure. »

Elle a dit …

Elle a dit qu'elle avait reçu une brochure.

Excellent ! Écoutez !

    Éric : *Tu es d'accord pour aller écouter du blues le 6 et du gospel le 7 ?*

    Annie : *Hum … deux concerts ? C'est génial !*

Répondez !

Est-ce que Éric propose d'aller à un seul concert ?

Non, il ne propose pas d'aller à un seul concert.

À combien de concerts propose-t-il d'aller ?

Il propose d'aller à deux concerts.

Est-ce qu'Annie est d'accord pour y aller ?

Oui, elle est d'accord pour y aller.

Elle pense que l'idée est géniale, n'est-ce pas ?

Oui. Elle pense que l'idée est géniale.

Bien ! Écoutez !

    Éric : *Voyons, il y a un numéro de téléphone pour réserver des places de l'étranger ? … Ah ! Voilà.*

Éric téléphone au numéro indiqué dans la brochure.

    L'employée : *Billeterie du Festival, bonjour.*

    Éric : *Bonjour madame. J'aimerais savoir s'il vous reste des places pour les concerts « Rock and Blues » et « Gospel » du 6 et du 7 juillet ?*

Répondez !

Est-ce qu'Éric a déjà réservé des places ?

Non, il n'en a pas encore réservé.

Veut-il savoir s'il reste des places ?

Oui, il veut savoir s'il en reste.

Il a demandé à l'employée s'il en restait, n'est-ce pas ?

Oui, il lui a demandé s'il en restait.

Écoutez !

    Employée : *Un instant s'il vous plaît … Le 6 juillet au Stravinski Hall … Et le 7 au Miles Davis Hall … Oui oui, il y a encore des places. Combien de billets désirez-vous ?*

    Éric : *Deux pour chaque concert.*

Répondez !

Est-ce que l'employée regarde s'il y a des places disponibles ?

Oui, elle regarde s'il y a des places disponibles.

Est-ce qu'il y en a ?

Oui, il y en a.

Combien de billets Éric veut-il pour chaque concert ?

Il en veut deux pour chaque concert.

Écoutez ! Éric demande le prix des billets et donne son numéro de carte de crédit ainsi que son adresse.

> *L'employée :* *Parfait ! C'est fait. Je vous enverrai les billets. Vous devriez les avoir dans quelques jours.*

> *Éric :* *Je vous remercie, au revoir madame !*

Répondez !

Est-ce que Éric a payé par chèque ?

Non, il n'a pas payé par chèque.

Comment a-t-il payé ?

Il a payé avec sa carte de crédit.

Est-ce qu'il a déjà reçu ses billets ?

Non, il ne les a pas encore reçus.

Mais, il les a déjà commandés, n'est-ce pas ?

Oui, il les a déjà commandés.

Est-ce qu'il avait déjà reçu la brochure avant de les commander ?

Oui, il l'avait déjà reçue avant de les commander.

Excellent !

Répétez !

Il a reçu la brochure.
Il avait reçu la brochure avant de commander les billets.

Il a regardé la brochure.
Il avait …

Il avait regardé la brochure avant de commander les billets.

Il a trouvé le numéro de téléphone.
Il avait …

Il avait trouvé le numéro de téléphone avant de commander les billets.

Il a parlé à l'employée.
Il avait …

Il avait parlé à l'employée avant de commander les billets.

Il a choisi les dates.
Il avait …

Il avait choisi les dates avant de commander les billets.

Il a demandé le prix.
Il avait …

Il avait demandé le prix avant de commander les billets.

Bien ! Et maintenant écoutez. Écoutez … et répétez !

– *Annie, as-tu reçu la brochure du festival ?*

– *Oui, elle est là.*
  Regarde ce qu'il y a à partir du 6 juillet.

– *Attends … Ah ! Il y a un concert de « Rock and Blues »*
   et un concert de musique latino-américaine le 6.
   Génial ! C'est juste le jour de notre arrivée.
   Et le 7, c'est du « Gospel » .

– *Super ! Une collègue m'a dit*
   qu'elle était allée au concert de « Gospel » l'année dernière,
   et qu'elle avait adoré.

– *Tu es d'accord pour aller écouter du blues le 6 et du gospel le 7 ?*

– *Hum … Deux concerts ? C'est génial !*

– *Voyons, est-ce qu'il y a un numéro de téléphone*
   pour réserver des places de l'étranger ? …
   Ah ! Voilà.

– *Billeterie du Festival, bonjour.*

– *Bonjour madame. J'aimerais savoir s'il vous reste des places*
   pour les concerts « Rock and Blues » et « Gospel »
   du 6 et du 7 juillet ?

– *Un instant s'il vous plaît …*
   Le 6 juillet au Stravinski Hall …
   Et le 7 au Miles Davis Hall …
   Oui, il y a encore des places.
   Combien de billets désirez-vous ?

– *Deux pour chaque concert.*

– *Parfait ! C'est fait.*
   Je vous enverrai les billets.
   Vous devriez les avoir dans quelques jours.

– *Je vous remercie, au revoir madame !*

Parfait ! C'est très bien ! Eh bien ! Espérons qu'Annie et Éric vont bien s'amuser en Suisse. Voici la fin de ce chapitre. Voici la fin du chapitre 8. Merci … et … au revoir.

Chapitre 9

Écoutez ! C'est bientôt Noël. Monsieur Bertin cherche un cadeau pour sa fille Murielle qui a quinze ans. Il entre dans un magasin d'informatique.

M. Bertin : *Bonjour monsieur ! Je cherche un logiciel pour ma fille. Elle a 15 ans.*

Le vendeur : *Quel genre de logiciel ? Un jeu peut-être ?*

M. Bertin : *Non, pas de jeux. Elle en a déjà beaucoup !*

Répondez !
Est-ce que M. Bertin est entré dans un magasin ?

Oui, il est entré dans un magasin.

Est-il entré dans un magasin de vêtements ou d'informatique ?

Il est entré dans un magasin d'informatique.

Est-ce qu'on vend des logiciels dans ce magasin ?

Oui, on en vend dans ce magasin.

Est-ce que M. Bertin cherche un logiciel pour sa femme ?

Non, il ne cherche pas de logiciel pour sa femme.

Pour qui cherche-t-il un logiciel ?

Il cherche un logiciel pour sa fille.

Excellent ! Écoutez !

> **M. Bertin :** *J'aimerais un programme éducatif, quelque chose de passionnant aussi. Vous savez comment sont les enfants : après deux semaines ils en ont assez.*
>
> **Le vendeur :** *Eh bien ! Nous venons juste de recevoir quelque chose qui devrait vous intéresser.*
>
> **M. Bertin :** *Qu'est-ce que c'est ?*
>
> **Le vendeur :** *C'est un logiciel pour apprendre les langues étrangères.*

Répondez !

Est-ce que M. Bertin s'intéresse à un logiciel éducatif ?

Oui, il s'intéresse à un logiciel éducatif.

Veut-il acheter quelque chose d'ennuyeux ?

Non, il ne veut pas acheter quelque chose d'ennuyeux.

Il veut voir un logiciel passionnant, n'est-ce pas ?

Oui, il veut voir un logiciel passionnant.

Est-ce que le vendeur a quelque chose à lui montrer ?

Oui, il a quelque chose à lui montrer.

Est-ce qu'il va lui montrer un logiciel pour apprendre les mathématiques ?

Non, il ne va pas lui montrer de logiciel pour apprendre les mathématiques.

Qu'est-ce qu'il va lui montrer ?

Il va lui montrer un logiciel pour apprendre les langues étrangères.

Bien ! Écoutez !

> **Le vendeur :** *C'est un logiciel pour apprendre les langues étrangères. Regardez ! Voici le programme d'anglais, par exemple. Vous voulez essayer ?*
>
> **M. Bertin :** *Pourquoi pas ? Mais ça fait longtemps que j'ai appris l'anglais ! J'ai sûrement tout oublié !*
>
> **Le vendeur :** *Ce n'est pas grave. C'est le programme pour débutants. Vous verrez, c'est facile ! N'importe qui peut le faire. Le nom et le niveau de l'utilisateur doivent être programmés au début de chaque leçon. Le logiciel détermine alors la durée de la leçon et sa difficulté.*

Répondez !

Est-ce que le vendeur lui explique un programme d'allemand ?

Non, il ne lui explique pas de programme d'allemand.

Qu'est-ce qu'il lui explique ?

Il lui explique un programme d'anglais.

C'est un logiciel pour débutants, n'est-ce pas ?	Oui, c'est un logiciel pour débutants.
Est-ce que ce logiciel est facile ou difficile à utiliser ?	Il est facile à utiliser.
Le vendeur dit que n'importe qui peut le faire, c'est ça ?	Oui, il dit que n'importe qui peut le faire.

Très Bien ! Écoutez !

M. Bertin : *Pourquoi doit-on taper son nom ?*

Le vendeur : *Cela permet un dialogue entre l'ordinateur et l'utilisateur.*

M. Bertin : *Ah oui, je comprends.*

Le vendeur *Puis, vous voyez plusieurs symboles et instructions qui apparaissent sur l'écran. La montre ici indique le temps disponible pour répondre à chaque question. Et le petit visage là, à gauche, change d'expression selon la réponse : il sourit, il pleure, il se met en colère, il s'endort.*

Répondez !

Est-ce qu'on doit taper son nom sur l'ordinateur ?	Oui, on doit taper son nom sur l'ordinateur.
Qu'est-ce qui apparaît sur l'écran, des photos ou des instructions ?	Des instructions apparaissent sur l'écran.
Est-ce qu'il y a aussi un petit visage ?	Oui, il y a aussi un petit visage.
Est-ce que le petit visage reste toujours le même ?	Non, il ne reste pas toujours pas le même.
Change-t-il d'expression selon les réponses ?	Oui, il change d'expression selon les réponses.

Bien ! Écoutez !

M. Bertin : *Ah, c'est amusant.*

Vendeur : *Tenez ! Essayez, tapez votre nom, et choisissez un exercice ... oui comme ça. Maintenant, choisissez une question et puis tapez votre réponse !*

M. Bertin : *Voilà. Et ensuite ?*

Vendeur : *Regardez ! Le petit visage sourit ! Ça veut dire que vous avez trouvé la bonne réponse. À la fin de l'exercice, votre score sera indiqué. Si vous décidez de continuer ou de refaire ce même exercice plus tard, le programme comparera vos résultats avec les précédents.*

M. Bertin : *C'est bien ça ! Est-ce que vous avez une brochure ? Je voudrais en parler à ma femme.*

Vendeur : *Oui bien sûr ! Voilà ! Et appelez-moi si vous avez des questions.*

Répondez !

Est-ce que l'ordinateur posera des questions en espagnol ?	Non, il ne posera pas de questions en espagnol.

En quelle langue posera-t-il les questions ?	Il les posera en anglais.
Est-ce que le programme indiquera le score ?	Oui, il l'indiquera.
Est-ce que le score sera indiqué ?	Oui, il sera indiqué.

Très bien !

Répétez !
Le logiciel indiquera le score.
Le score sera indiqué.

Il posera des questions en anglais.
Les questions seront posées …   Les questions seront posées en anglais.

Il donnera des réponses en anglais.
Les réponses …   Les réponses seront données en anglais.

Il corrigera l'exercice.
L'exercice …   L'exercice sera corrigé.

Il comparera les résultats.
Les résultats …   Les résultats seront comparés.

Excellent ! Et maintenant écoutez. Écoutez … et répétez !

– *Bonjour monsieur ! Je cherche un logiciel pour ma fille.*
  Elle a 15 ans.

– *Quel genre de logiciel ? Un jeu peut-être ?*

– *Non, pas de jeux. Elle en a déjà beaucoup !*
  J'aimerais un programme éducatif,
  quelque chose de passionnant aussi.
  Vous savez comment sont les enfants :
  après deux semaines ils en ont assez.

– *Eh bien ! Nous venons juste de recevoir quelque chose*
  qui devrait vous intéresser.

– *Qu'est-ce que c'est ?*

– *C'est un logiciel pour apprendre les langues étrangères.*
  Regardez ! Voici le programme d'anglais, par exemple.
  Vous voulez essayer ?

– *Pourquoi pas ?*
  Mais ça fait longtemps que j'ai appris l'anglais !
  J'ai sûrement tout oublié !

– *Ce n'est pas grave. C'est le programme pour débutants.*
  Vous verrez, c'est facile !
  N'importe qui peut le faire.
  Le nom et le niveau de l'utilisateur doivent être programmés
  au début de chaque leçon.
  Le logiciel détermine alors la durée de la leçon et sa difficulté.

– *Pourquoi doit-on taper son nom ?*

- Cela permet un dialogue entre l'ordinateur et l'utilisateur.
- Ah oui, je comprends.
- Puis, vous voyez plusieurs symboles et instructions qui apparaissent sur l'écran.
  La montre ici indique le temps disponible
  pour répondre à chaque question.
  Et le petit visage là, à gauche, change d'expression selon la réponse :
  il sourit, il pleure, il se met en colère, il s'endort.
- Ah c'est amusant.
- Tenez ! Essayez, tapez votre nom,
  choisissez un exercice ... oui comme ça.
  Maintenant, choisissez une question et puis tapez votre réponse !
- Voilà. Et ensuite ?
- Regardez ! Le petit visage sourit !
  Ça veut dire que vous avez trouvé la bonne réponse.
  À la fin de l'exercice, votre score sera indiqué.
  Si vous décidez de continuer ou de refaire ce même exercice plus tard,
  le programme comparera vos résultats avec les précédents.
- C'est bien ça ! Est-ce que vous avez une brochure ?
  Je voudrais en parler à ma femme.
- Oui bien sûr ! Voilà !
  Et appelez-moi si vous avez des questions.

Parfait ! C'est très bien ! Eh bien ! Souhaitons un Joyeux Noël à M. Bertin et à sa famille. Voici la fin du chapitre 9. Merci. Au revoir et à bientôt.

Chapitre 10

Écoutez ! Joëlle Fournier est dans son bureau. Elle regarde sa montre : 8h55. Elle commence à s'inquiéter. Sa collègue, Nadine Tessier, n'est toujours pas arrivée. Dans 5 minutes, elles doivent faire une présentation importante au directeur, M. Rondeau, et à plusieurs clients. Le téléphone sonne.

Joëlle : Joëlle Fournier, bonjour.

Nadine: Joëlle, c'est Nadine ...

Joëlle : Nadine, mais où es-tu ? Il est presque 9h !

Répondez !

Est-ce que Nadine est arrivée au bureau ?	Non, elle n'est pas arrivée au bureau.
Est-ce qu'elle téléphone à M. Rondeau ou à Joëlle ?	Elle téléphone à Joëlle.
Est-ce que la présentation a déjà commencé ?	Non, elle n'a pas encore commencé.
Mais elle va commencer dans 5 minutes, n'est-ce pas ?	Oui, elle va commencer dans 5 minutes.

Écoutez !

> Joëlle : *Nadine, mais où es-tu ? Il est presque 9h !*
>
> Nadine : *Ah si tu savais ! Je suis dans une cabine sur l'avenue de Wagram près de l'Étoile. J'ai laissé ma voiture en double file pour pouvoir t'appeler. Il y a une circulation épouvantable.*
>
> Joëlle : *Mais tu vas bien trouver une petite rue moins encombrée.*
>
> Nadine : *Impossible ! Je suis coincée dans un embouteillage. Je n'ai pas bougé depuis vingt minutes. C'est complètement bloqué !*

Répondez !

Est-ce que Nadine téléphone de chez elle ?	Non, elle ne téléphone pas de chez elle.
Est-ce qu'elle téléphone de sa voiture ou d'une cabine téléphonique ?	Elle téléphone d'une cabine téléphonique.
Est-ce qu'il y a beaucoup de circulation ?	Oui, il y en a beaucoup.
Nadine est coincée dans un embouteillage, n'est-ce pas ?	Oui, elle est coincée dans un embouteillage.
Est-ce qu'elle a laissé sa voiture dans un parking ?	Non, elle n'a pas laissé sa voiture dans un parking.
Où est-ce qu'elle l'a laissée … en double file ?	Oui, elle l'a laissée en double file.

Écoutez !

> Nadine : *Je n'ai pas bougé depuis vingt minutes. C'est complètement bloqué !*
>
> Joëlle : *Mais qu'est-ce qui se passe ?*
>
> Nadine : *Il y a des rues barrées et des policiers partout !*
>
> Joëlle : *Des policiers, pourquoi ?*
>
> Nadine : *Tu sais bien qu'il y a un sommet international à Paris en ce moment.*

Répondez !

Y-a-il une exposition commerciale à Paris en ce moment ?	Non, il n'y a pas d'exposition commerciale à Paris en ce moment.
Qu'est-ce qu'il y a, une exposition commerciale ou un sommet international ?	Il y a un sommet international.
Est-ce qu'il y a des policiers partout ?	Oui, il y a des policiers partout.
Est-ce qu'il y a des rues barrées ?	Oui, il y a des rues barrées.
Ah, les policiers ont barré les rues, n'est-ce pas ?	Oui, ils ont barré les rues.

Répétez !

On a barré beaucoup de rues.
Il y a beaucoup de rues barrées.

On a garé beaucoup de voitures.	
Il y a beaucoup de voitures …	Il y a beaucoup de voitures garées.

On a fermé beaucoup de magasins. Il y a beaucoup de …	Il y a beaucoup de magasins fermés.
On a annulé beaucoup de vols. Il y a …	Il y a beaucoup de vols annulés.
On a réservé beaucoup de places. Il y a …	Il y a beaucoup de places réservées.
On parle beaucoup de langues dans le monde. Il y a …	Il y a beaucoup de langues parlée dans le monde.
On fait beaucoup de choses à la main. Il y a …	Il y a beaucoup de choses faites à la main.
On vend beaucoup de billets en décembre. Il y a …	Il y a beaucoup de billets vendus en décembre.

Écoutez !

> Nadine : *Tu sais bien qu'il y a un sommet international à Paris en ce moment.*
>
> Joëlle : *Ah, c'est vrai. J'avais oublié. Mais la réunion va commencer tout de suite. Débrouille-toi pour arriver le plus vite possible.*
>
> Nadine : *Écoute, je vois un parking souterrain juste devant moi. Je laisse ma voiture et je prends le métro. Si tout va bien, je serai là dans un quart d'heure.*

Répondez !

Est-ce que Nadine est toujours coincée dans les embouteillages ?	Oui, elle est toujours coincée dans les embouteillages.
Est-ce qu'elle va laisser sa voiture dans la rue ?	Non, elle ne va pas la laisser dans la rue.
Comment va-t-elle arriver au bureau, en bus ou en métro ?	Elle va arriver en métro.
Est-ce qu'elle arrivera dans cinq minutes ?	Non, elle n'arrivera pas dans cinq minutes.
Si tout va bien, elle arrivera dans un quart d'heure, n'est-ce pas ?	Oui, si tout va bien, elle arrivera dans un quart d'heure.

Écoutez !

> Nadine : *Si tout va bien, je serai là dans un quart d'heure.*
>
> Joëlle : *Fais de ton mieux ! J'expliquerai ton retard à M. Rondeau. Mais dépêche-toi !*
>
> Nadine : *Merci Joëlle. J'arrive !*

Répondez !

Est-ce que Nadine doit se dépêcher ?	Oui, elle doit se dépêcher.
Mais, elle va quand même arriver en retard, n'est ce pas ?	Oui, elle va quand même arriver en retard.

Est-ce que Joëlle va expliquer son retard ?   Oui, elle va l'expliquer.

Elle va l'expliquer aux policiers ou à
M. Rondeau ?   Elle va l'expliquer à M. Rondeau.

Parfait ! Maintenant écoutez ! Écoutez … et répétez !

– *Joëlle Fournier, bonjour.*

– *Joëlle, c'est Nadine …*

– *Nadine, mais où es-tu ? Il est presque 9h !*

– *Ah si tu savais !*
 Je suis dans une cabine sur l'avenue de Wagram près de l'Étoile.
 J'ai laissé ma voiture en double file pour pouvoir t'appeler.
 Il y a une circulation épouvantable.

– *Mais tu vas bien trouver une petite rue moins encombrée.*

– *Impossible ! Je suis coincée dans un embouteillage.*
 Je n'ai pas bougé depuis vingt minutes.
 C'est complètement bloqué !

– *Mais qu'est-ce qui se passe ?*

– *Il y a des rues barrées et des policiers partout !*

– *Des policiers, pourquoi ?*

– *Tu sais bien qu'il y a un sommet international à Paris en ce moment.*

– *Ah, c'est vrai. J'avais oublié.*
 Mais la réunion va commencer tout de suite.
 Débrouille-toi pour arriver le plus vite possible.

– *Écoute, je vois un parking souterrain juste devant moi.*
 Je laisse ma voiture et je prends le métro.
 Si tout va bien, je serai là dans un quart d'heure.

– *Fais de ton mieux !*
 J'expliquerai ton retard à M. Rondeau.
 Mais dépêche-toi !

– *Merci Joëlle. J'arrive !*

Parfait ! C'est très bien ! Espérons que Nadine ne manquera pas sa réunion. Eh bien, voici la fin du chapitre 10. Merci … et … au revoir.

Chapitre 11

Écoutez ! Pascal Auger passe la matinée au Marché aux Puces. Là, on peut presque tout acheter: meubles anciens, vaisselle, vêtements, disques et livres d'occasion, bijoux anciens, etc. Pascal, qui collectionne les vieilles montres, s'arrête devant un stand et s'adresse au marchand.

       Pascal :   Vous demandez combien pour cette montre ?

  Le marchand :   800 F. Elle date des années 30.

Répondez !

Est-ce que Pascal se trouve dans un magasin ?

Non, il ne se trouve pas dans un magasin.

Où se trouve-t-il ?

Il se trouve aux Marché aux Puces.

Est-ce qu'on peut y acheter des meubles anciens ?

Oui, on peut y acheter des meubles anciens.

Est-ce que Pascal collectionne les vieux livres ?

Non, il ne les collectionne pas.

Qu'est-ce qu'il collectionne ?

Il collectionne les vieilles montres.

Bien ! Écoutez !

Pascal :   *Vous demandez combien pour cette montre ?*

Le marchand :   *800 F. Elle date des années 30.*

Pascal :   *Vous blaguez ! Elle ne marche même pas ! Si elle marchait, elle vaudrait peut-être ce prix-là. Je vous propose 400.*

Répondez !

Est-ce que Pascal a vu une montre qui lui plaisait ?

Oui, il en a vu une qui lui plaisait.

Date-t-elle des années 50 ou 30 ?

Elle date des années 30.

Combien demande le marchand pour la montre ?

Il demande 800F.

Est-ce que la montre marche ?

Non, elle ne marche pas.

Pascal a dit qu'elle ne valait pas 800F, n'est-ce pas ?

Oui, il a dit qu'elle ne valait pas 800F.

Si elle marchait, est-ce qu'elle vaudrait 800F ?

Oui, si elle marchait, elle vaudrait 800F.

Bien !

Répétez !

Elle ne vaut pas 800F.
Si elle marchait, elle vaudrait 800F.

Il ne lui donne pas 800F.
Si elle marchait, il lui …

Si elle marchait, il lui donnerait 800F.

Il ne l'achète pas.
Si elle marchait, …

Si elle marchait, il l'achèterait.

Il n'est pas d'accord pour l'acheter.
Si …

Si elle marchait, il serait d'accord pour l'acheter.

Ce n'est pas un bon prix.
Si …

Si elle marchait, ce serait un bon prix.

Il doit la faire réparer.
Si …

Si elle marchait, il ne devrait pas la faire réparer.

Écoutez !

> Pascal : *Je vous propose 400.*
>
> Le marchand : *400F ? Ce n'est pas sérieux. Je vous assure que cette montre est exceptionelle. 700F !*
>
> Pascal : *700 ? Pas question ! Avec les frais de réparation … Je vous donne 500F.*
>
> Le marchand : *600, et c'est mon dernier mot !*
>
> Pascal : *600… Bon, d'accord !*

Répondez !

Est-ce que Pascal est d'accord pour payer 700F ?	Non, il n'est pas d'accord pour payer 700F.
Il a proposé de payer 500F, n'est-ce pas ?	Oui, il a proposé de payer 500F.
Est-ce que le marchand a accepté de vendre la montre à ce prix ?	Non, il n'a pas accepté de la vendre à ce prix.
Il a assuré à Pascal que la montre était exceptionnelle, n'est-ce pas ?	Oui, il lui a assuré que la montre était exceptionnelle.
Est-ce que Pascal a fini par acheter la montre ?	Oui, il a fini par l'acheter.
Il a fini par payer 600F, c'est ça ?	Oui, il a fini par payer 600F.

Écoutez ! Pascal est content de sa bonne affaire. Normalement, une montre comme ça coûterait deux fois plus cher. Il met la montre dans sa poche et continue sa promenade parmi les stands. Plus loin, il voit une jeune femme qui vend des portefeuilles.

> La marchande : *Regardez monsieur, ils sont tout en cuir, faits à la main. 80F.*
>
> Pascal : *Non, je n'en ai pas besoin.*
>
> La marchande : *Allez, 60F ! On a toujours besoin d'un portefeuille !*

C'est vrai, se dit Pascal. Depuis que j'ai perdu le mien, je dois garder mon argent et tous mes papiers dans mes poches.

> Pascal : *Je vous donne 50F, pas plus.*
>
> La marchande : *Vendu ! Je vous félicite, vous avez fait une excellente affaire !*
>
> Pascal : *Voilà 50F.*
>
> La marchande : *Merci.*

Pascal paye et s'en va. Ensuite, il arrive devant un stand de crêpes. Il en commande une, cherche de l'argent dans sa poche, mais il ne trouve que ses papiers, une vieille montre et un portefeuille neuf vide !

Répondez !

Est-ce que Pascal a besoin d'un portefeuille ?	Oui, il a besoin d'un portefeuille.
Pourquoi a-t-il besoin d'un portefeuille ?	Il a besoin d'un nouveau nouveau portefeuille, parce qu'il a perdu le sien.

Est-ce qu'il garde son argent dans un sac ou dans ses poches ?

Il le garde dans ses poches.

Il a donc acheté le portefeuille, c'est bien ça ?

Oui, il l'a acheté.

Bien ! Maintenant écoutez ! Écoutez … et répétez.

– *Vous demandez combien pour cette montre ?*
– *800F. Elle date des années 30.*
– *Vous blaguez !*
  Elle ne marche même pas !
  Si elle marchait, elle vaudrait peut-être ce prix-là.
  Je vous propose 400.
– *400F ? Ce n'est pas sérieux.*
  Je vous assure que cette montre est exceptionelle. 700F !
– *700 ? Pas question !*
  Avec les frais de réparation …
  Je vous donne 500F.
– *600, et c'est mon dernier mot !*
– *600 … Bon, d'accord !*
– *Regardez monsieur, ils sont tout en cuir,*
  faits à la main. 80F.
– *Non, je n'en ai pas besoin.*
– *Allez, 60F !*
  On a toujours besoin d'un portefeuille !
– *Je vous donne 50F, pas plus.*
– *Vendu ! Je vous félicite,*
  vous avez fait une excellente affaire !
– *Voilà 50F.*
– *Merci.*

Parfait ! C'est très bien ! Pascal a eu une journée intéressante au Marché aux Puces. Voici la fin du chapitre 11. Merci… et… au revoir.

Chapitre 12

Écoutez ! Il est 20 heures. Annie Simonot et Paul Varrot sortent de l'école Berlitz, et se dirigent vers la station de métro.

Mme Simonot : Alors, vous aimez les cours ?

M. Varrot : Oui, je fais beaucoup de progrès.

Mme Simonot : Moi aussi. Je trouve que les langues sont tellement importantes dans la vie.

M. Varrot : Tiens ! Je pensais justement que ma fille Christine devrait commencer à apprendre l'anglais.

Répondez !
Est-ce que M. Varrot et Mme Simonot prennent des cours chez Berlitz ?

Oui, ils prennent des cours chez Berlitz.

Est-ce que M. Varrot a dit qu'il avait un fils ?

Non, il n'a pas dit qu'il avait un fils.

Qu'est-ce qu'il a dit ?

Il a dit qu'il avait une fille.

Est-ce qu'il a dit que sa fille apprenait déjà l'anglais ?

Non, il n'a pas dit que sa fille apprenait déjà l'anglais.

Mais, il a dit qu'elle devrait l'apprendre, n'est-ce pas ?

Oui, il a dit qu'elle devrait l'apprendre.

Écoutez !

Mme Simonot : Quel âge a-t-elle ?

M. Varrot : 9 ans.

Mme Simonot : 9 ans ! Mais vous ne trouvez pas que c'est trop jeune ?

M. Varrot : *Non, pas du tout. Je pense que c'est l'âge idéal. Les enfants sont ouverts à tout ce qui est nouveau à cet âge là, et ils n'ont pas peur de faire des fautes. À mon avis, l'anglais devrait être obligatoire dans toutes les écoles primaires.*

Répondez !
Quel âge a Christine ?

Elle a 9 ans.

Est-ce que Mme Simonot pense qu'elle est trop jeune pour apprendre une langue ?

Oui, elle pense qu'elle est trop jeune pour apprendre une langue.

Mais M. Varrot pense que c'est l'âge idéal, n'est-ce pas ?

Oui, il pense que c'est l'âge idéal.

Est-ce qu'il a dit que les enfants avaient peur de faire des fautes ?

Non, il n'a pas dit que les enfants avaient peur de faire des fautes.

Qu'est-ce qu'il a dit ?

Il a dit que les enfants n'avaient pas peur de faire des fautes.

Est-ce que l'anglais est obligatoire dans les écoles primaires ?

Non, l'anglais n'est pas obligatoire dans les écoles primaires.

Mais M. Varrot a dit que ça devrait être obligatoire, c'est ça ?

Oui, il a dit que ça devrait être obligatoire.

Très bien. Écoutez !

Mme Simonot : *Alors, qu'est-ce que vous allez faire pour Christine ?*

M. Varrot : *Je vais chercher quelqu'un qui lui donnera des cours à la maison une ou deux fois par semaine.*

Mme Simonot : *Deux fois par semaine ! Mais ce n'est pas sérieux ! Avec une enfant de 9 ans, il vaudrait mieux avoir quelqu'un à plein temps. Avez-vous déjà pensé à prendre une jeune fille au pair ?*

M. Varrot :   *Une au pair ... hum, c'est une possibilité.*

M^(me) Simonot :   *Bien sûr.*

M. Varrot :   *Je dois me renseigner. Mais je pense que c'est cher.*

Répondez !

Est-ce que M. Varrot va envoyer Christine à l'étranger ?

Non, il ne va pas l'envoyer à l'étranger.

Est-ce que M. Varrot va chercher quelqu'un pour lui donner des cours ?

Oui, il va chercher quelqu'un pour lui donner des cours.

Il a dit qu'il chercherait quelqu'un, n'est-ce pas ?

Oui, il a dit qu'il chercherait quelqu'un.

Est-ce que M. Varrot a déjà une au pair ?

Non, il n'en a pas encore une.

M^(me) Simonot lui a proposé de prendre une au pair, n'est-ce pas ?

Oui, elle lui a proposé de prendre une au pair.

Écoutez !

M. Varrot :   *Une au pair ... hum, c'est une possibilité.*

M^(me) Simonot :   *Bien sûr.*

M. Varrot :   *Je dois me renseigner. Mais je pense que c'est cher.*

M^(me) Simonot :   *Allez, ne vous inquiétez pas. Après tout, votre fille n'a que 9 ans. Elle a du temps devant elle. De toute façon, elle commencera l'anglais à l'école à 12 ans.*

M. Varrot :   *Ah, l'école ... J'ai fait dix ans d'anglais et je n'arrive toujours pas à commander un repas dans un restaurant !*

M^(me) Simonot :   *Oh, vous savez, ça a bien changé depuis ...*

Répondez !

Est-ce que M. Varrot s'est déjà renseigné sur les au pair ?

Non, il ne s'est pas encore renseigné sur les au pair.

Mais, il va se renseigner, n'est-ce pas ?

Oui, il va se renseigner.

Est-ce que Christine a déjà commencé l'anglais à l'école ?

Non, elle n'a pas encore commencé l'anglais à l'école.

Mais, M^(me) Simonot a dit qu'elle commencerait l'anglais à 12 ans ?

Oui, elle a dit qu'elle commencerait l'anglais à 12 ans.

Répétez !

Christine commencera l'anglais.
M^(me) Simonot a dit qu'elle commencerait l'anglais.

Elle apprendra l'anglais à l'école.
M^(me) Simonot a dit ...

M^(me) Simonot a dit qu'elle apprendrait l'anglais à l'école.

Elle fera des progrès.
M^(me) Simonot ...

M^(me) Simonot a dit qu'elle ferait des progrès.

Elle parlera anglais à l'école.
M^(me) Simonot ...

M^(me) Simonot a dit qu'elle parlerait anglais à l'école.

Parfait ! Maintenant écoutez ! Écoutez … et répétez !

— *Alors, vous aimez les cours ?*

— *Oui, je fais beaucoup de progrès.*

— *Moi aussi.*
  Je trouve que les langues sont tellement importantes dans la vie.
  Tiens ! Je pensais justement que ma fille Christine
  devrait commencer à apprendre l'anglais.

— *Quel âge a-t-elle ?*

— *9 ans.*

— *9 ans ! Mais vous ne trouvez pas que c'est trop jeune ?*

— *Non, pas du tout. Je pense que c'est l'âge idéal.*
  Les enfants sont ouverts à tout ce qui est nouveau à cet âge là,
  et ils n'ont pas peur de faire des fautes.
  À mon avis, l'anglais devrait être obligatoire
  dans toutes les écoles primaires.

— *Alors, qu'est-ce que vous allez faire pour Christine ?*

— *Je vais chercher quelqu'un qui lui donnera des cours à la maison*
  une ou deux fois par semaine.

— *Deux fois par semaine ! Mais ce n'est pas sérieux !*
  Avec une enfant de 9 ans,
  il vaudrait mieux avoir quelqu'un à plein temps.
  Avez-vous déjà pensé à prendre une jeune fille au pair ?

— *Une au pair … hum, c'est une possibilité.*

— *Bien sûr.*

— *Je dois me renseigner.*
  Mais je pense que c'est cher.

— *Non, allez, ne vous inquiétez pas.*
  Après tout, votre fille n'a que 9 ans.
  Elle a du temps devant elle.
  De toute façon, elle commencera l'anglais à l'école à 12 ans.

— *Ah, l'école … J'ai fait dix ans d'anglais*
  et je n'arrive toujours pas à commander un repas
  dans un restaurant !

— *Oh, vous savez, ça a bien changé depuis …*

Parfait ! C'est très bien ! Espérons que Christine fera beaucoup de progrès en anglais et j'espère que vous aussi continuerez à faire des progrès en français. Eh bien, nous voici arrivés à la fin du chapitre 12 et de ce programme. Merci … et au revoir !

EUROPE

Océan Atlantique

Mer du Nord

Mer Baltique

NORVÈGE

SUÈDE

Oslo

Stockholm

IRLANDE

Dublin

ROYAUME-UNI

DANEMARK

Copenhague

PAYS-BAS

BELGIQUE

Londres

Amsterdam

Berlin

POLOGNE

Varsov

ALLEMAGNE

Bruxelles

Bonn

LUXEMBOURG

Prague

RÉPUBLIQUE
TCHÈQUE

SLOVAC

Paris

Vienne

Bratislava

FRANCE

Berne

AUTRICHE

Budapest

HONGR

Genève

SUISSE

Ljubljana

Zagreb

Bordeaux

Lyon

CROATIE

BOSNIE

Lisbonne

Marseille

SLOVÉNIE

Sarajevo

ITALIE

PORTUGAL

Barcelone

Madrid

Rome

ESPAGNE

Mer Méditerranée